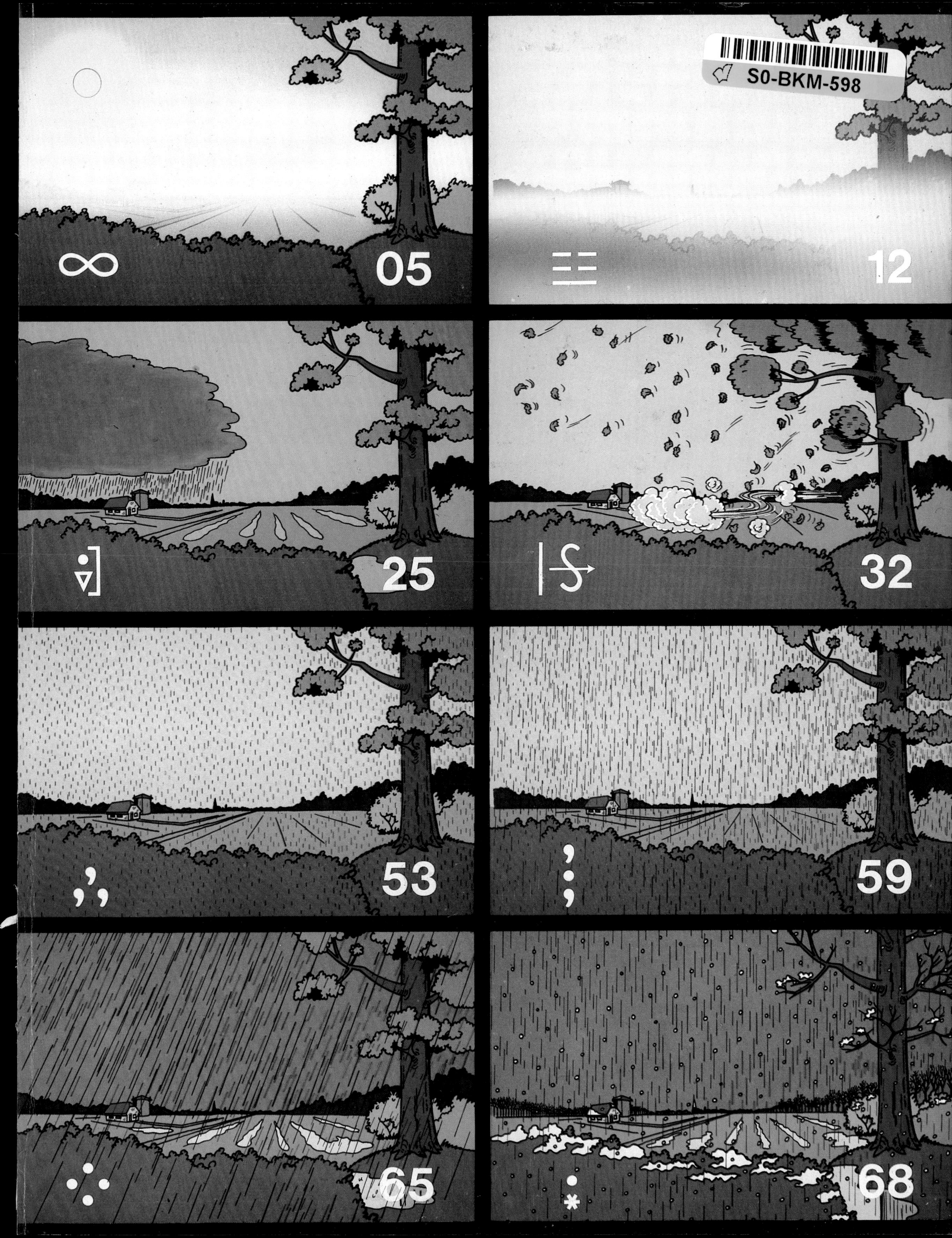
05
12
25
32
53
59
65
68

DE WW-CODE

Meteorologen in de hele wereld gebruiken één code om weerssituaties aan te geven. Ze onderscheiden 100 verschillende situaties: 32 daarvan zijn voor en achter in dit boek weergegeven. Bij elk van die situaties, voorgesteld door codegetallen van 00–99, hoort ook een symbool om de weerssituatie gemakkelijk te kunnen intekenen op een weerkaart. Die symbolen zijn opgebouwd uit grondkarakters zoals:

=	nevel	•	regen	∇	bui
≡	mist	*	sneeuw		zware bui
,	motregen	△	hagel		onweer

De volledige code is hieronder afgedrukt. De meteoroloog en de beroepswaarnemer kennen deze uit hun hoofd. De code is opgebouwd uit rijtjes van 10 getallen die bij elkaar horen. De getallen van 00 tot 49 duiden op geen neerslag op het waarnemingsstation op het moment van de waarneming. In dat blok gaan bijvoorbeeld 40–49 over mistsituaties. De nummers 50–99 duiden op neerslag op het waarnemingsstation tijdens de waarneming. Daarbij gaan 50–79 over niet-buiige neerslag (eerst 10 soorten motregen, dan 10 soorten regen en vervolgens 10 soorten sneeuw). Bij 80–90 wordt buiige neerslag behandeld en bij 91–99 onweer.

WW	0	1	2	3	4	5	6	7	8	9
00										
10										
20										
30										
40										
50										
60										
70										
80										
90										

DE MENS EN HET WEER

Chriet Titulaer

DE MENS EN HET WEER

MCMLXXIX Elsevier-Amsterdam/Brussel

Deze uitgave is verzorgd
door B.V. Uitgeversmaatschappij Elsevier Focus

Bij het samenstellen van dit boek werd de auteur begeleid door een adviesraad, bestaande uit de heren:
JAN H. PELLEBOER (auteur, weerman voor radio en dagbladen),
ARMAND PIEN (KMI Ukkel, weerman BRT, waarnemend directeur Planetarium in Brussel) en
JOOP DEN TONKELAAR (KNMI De Bilt, oud-weerman Nederlandse TV).

Omslagontwerp en grafische vormgeving:
JAC. VAN DEN BOS

Produktie:
FRITS VESTERS – HANS BRITSEMMER

Tekst gezet uit Century Schoolbook door:
ENSCHEDÉ – HAARLEM

Hoofdstuktitels uit Century Schoolbook vet door:
ZETTERIJ DAMMAN – AMSTERDAM

Lithografie en montage:
FOLITHO – Fotolithografisch bedrijf B.V. – HAARLEM

Drukken:
DRUKKERIJ MEYER WORMERVEER B.V.

Binden:
VAN RIJMENAM – DEN HAAG

De eerste oplage van dit boek werd onder auspiciën van de CPNB *en de* VBVB *in Nederland en België uitgegeven als 'Boek van de Maand', maart 1979.*

D/MCMLXXIX/0199/34 ISBN 90 10 02374 5

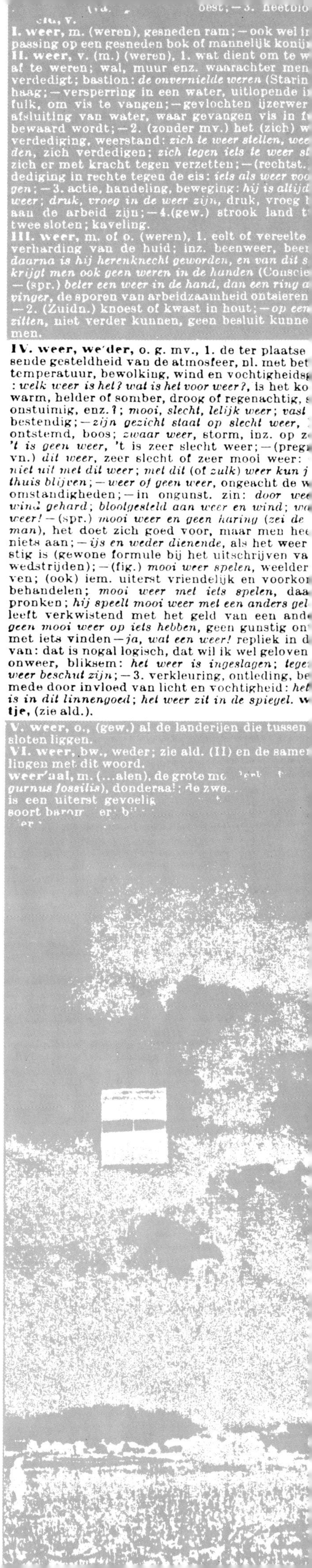

Ten geleide

WAAR MEN OOK HEENGAAT, met het weer wordt men op onze aarde steeds geconfronteerd. Het weer houdt geen rekening met de politiek vastgelegde grenzen en behandelt vriend of vijand zonder onderscheid. Het laboratorium voor ons weer is de dampkring van onze eigen aarde en de wetenschap meteorologie die daaruit groeide verplichtte alle wetenschapsmensen, reeds vanaf het begin, internationaal samen te werken.
Het is één van die wetenschappen die groeide en evolueerde in de geest van een wereldbegrip. Als nu de mens op politiek vlak wel een poging doet om tot dat wereldbegrip te komen, dan doet hij nog echt nationalistisch binnen zijn eigen grenzen om naar zijn welzijn te zoeken. Het weer is wereldomvattend en de daaruit gegroeide tak van de wetenschap meteorologie duidt op verschijnselen tot ver in de atmosfeer en ver boven het gebied waar het weer 'gemaakt' wordt.
Zo trekt de auteur hier onmiddellijk de lijn tot waar het onderwerp 'de mens en het weer' reikt. Hij blijft dicht bij de mens en beperkt zich dus tot dat gedeelte van de atmosfeer waar wij voornamelijk in leven, namelijk de troposfeer.
In verband met de meteorologie verschenen en verschijnen nog steeds leerboeken, cursussen, publikaties, zodat vele onderwerpen van dit boek stof voor een nieuw boek kunnen leveren. De auteur voelde de noodzaak aan voor u een weerkijkboek te schrijven met vele originele foto's. Daar is hij ten volle in geslaagd, zelfs zo dat als dit werk u aangrijpt, u onvermijdelijk verder naar verklaringen, 'waarom's en 'hoe zit dat nou?' gaat zoeken in die gamma van meteorologische werken.
Misschien zult u daardoor het weer beter volgen en begrijpen en alle kritiek niet op de schouders van de weervoorspellers schuiven.
Gedurende mijn 25 jaar Weerman (BRT België) weet ik hoe belangrijk het is het weer te populariseren en ook de schakel te zijn tussen u en de wetenschap. Bovendien ben ik overgelukkig dat onze noorderburen en met name zeker de auteur, de grens tussen onze twee landen heeft uitgewist. Het weer voor Nederland of voor België is op grote schaal toch hetzelfde; maar elk land heeft zijn eigen karakteristieken die dat weerbeeld zelfs op kleine afstand tot grote verschillen kan brengen. Ik heb trouwens een uitstekende herinnering aan die Nederlands-Belgische samenwerking, met al die collega's die 'werelds' denken en toch weten dat het weer, zoals een mooie vrouw, maar dat kan geven wat het heeft. Een goede raad: lees en kijk eerst naar *De mens en het weer* en doe daarna meer weerkennis op.

ARMAND PIEN

Wnd. Directeur Planetarium
Heizel – Brussel

Inhoud

Weerkunde

Het weerbedrijf

Amateurweerkunde

Het weerbericht

Er is geen enkel onderdeel in het nieuws van alledag zo blijvend in de belangstelling als het weerbericht. Iedere dag worden via kranten, radio en televisie weersverwachtingen doorgegeven.

Het KNMI stelt per jaar 8450 verwachtingen op voor de radionieuwsdienst. Op Hilversum 3 is immers ieder uur een kort weerbulletin te beluisteren. In België geeft het KMI viermaal per dag een weerbericht door aan de Nederlandstalige uitzendingen BRT en Franstalige RTB.

Het weerbericht in het NOS-journaal van 20.00 uur werd in het vierde kwartaal van 1977 gemiddeld door iets meer dan 3 miljoen Nederlanders van 12 jaar en ouder bekeken. De BRT heeft op maandag, woensdag en vrijdag een zeer uitgebreid weerpraatje. Sedert 31 oktober 1953 wordt dit verzorgd door Armand Pien. Armand mag voor iedere uitzending rekenen op zeker 700000 kijkers. Trouwens, de genoemde radiouitzendingen genieten ook veel belangstelling. Het uitgebreide weerbulletin op de Nederlandse radio, op werkdagen, in het nieuws van 12.30 uur, is het meest beluisterde nieuwsbulletin op de gevarieerde zenders. De afdeling Kijk- en Luisteronderzoek van de NOS berekende een gemiddelde luisterdichtheid van iets meer dan één miljoen mensen! In het Nederlandstalige deel van België wordt het radionieuws van 13.00 uur door 180000 luisteraars gevolgd.

Steeds populairder wordt het opbellen. In België geeft nummer 991 in Vlaanderen een Nederlandstalig weerbericht en in Wallonië een Franstalig weerbericht. Alleen langs de taalgrens zelf moet u 971 draaien, weer langs beide zijden, om een Vlaams- of Franstalig weerbericht in de voor u juiste taal te krijgen.

In België worden deze nummers momenteel 3 miljoen keer per jaar gedraaid. Het Nederlandse 003 werd in 1976 maar liefst 25050655 keer gedraaid. De topmaand was juni, met meer dan 3 miljoen aanvragen. In het voorjaar en in het najaar wordt 003 opvallend veel minder gedraaid dan in de zomer en in de winter.

De weersverwachting bepaalt welke kleren we gaan dragen, of we een paraplu meenemen, of we eropuit trekken op een vrije dag.

OP 14 FEB[...]ARI

HET WEER

VERWACHTING TOT HEDENAVOND:
In het algemeen veel bewolking en op de meeste plaatsen droog. Matige tot krachtige wind uit noordoost tot oost. Max. temp. circa min. 3 graden.
VOORUITZICHTEN VOOR MORGEN EN OVERMORGEN:
Af en toe sneeuw. Vooral 's nachts minder koud.
ZONDAG 12 FEBRUARI:
Zon op: 08.02 onder: 17.47
Maan op: 10.04 onder: —.—
MAANDAG 13 FEBRUARI:
Zon op: 08.00 onder: 17.49
Maan op: 10.32 onder: 00.02

HET WEDER

Wind

UKKEL, 29 maart. — Het Weerkundig Instituut verwacht vrij krachtige wind in het binnenland. Krachtig en plaatselijk zeer krachtig aan de kust, uit zuidwest tot west. Kans op storm op zee. Afwisselend opklaringen met zware bewolking, vergezeld van buien. Maximum van 11 graden in de Ardennen tot 17 graden elders. Minima van 5 tot 9 graden. Vooruitzichten: afwisselend mooie opklaringen en zware bewolking vergezeld van buien.

LUCHTGESTELDHEID

Een depressie gelegen tussen IJsland en Schotland zendt maritieme luchtstromingen met neiging tot buien naar onze streken. Nieuwe regenzones, die zich over de Atlantische Oceaan naar Europa bewegen, zullen later ons weer bepalen.

TEMPERATUREN

Oslo 3; Stockholm 9; Helsinki 2; Londen 12; Reykjavik 4; Kopenhagen 9; Parijs 10; Marseille 19; Nice 16; Madeira 15; Madrid 13; Valencia 17; Malaga 17; Gibraltar 16; Azoren 14; Lissabon 14; Berlijn 19; Wenen 16; Warschau 17; Rome 17; Athene 16; Istanbul 11; Adana 13; Moskou 5; Algiers 22; Tunis 22.

WAARNEMINGEN

Luchtdruk: 754,9 mm, zegge 1.066,4 mb.

Temperatuur: 10,3 graden; maximum: 16,3; minimum: 10,1. De barometer stijgt.

EFEMERIDEN VOOR DONDERDAG

Antwerpen: hoogwater te 7u.17 en te 20u.; laagwater te 2u.17 en te 14u.08.

Oostende: hoogwater te 4u.41 en te 17u.07; laagwater te 11u.24 en te 23u.41.

De zon komt op te 6u.24 en gaat onder te 19u.11.

De maan komt op te 0u.55 en gaat onder te 10u.07.

Het weer

In de nacht en ochtend hier en daar mist en minimumtemperaturen van min 5 tot ongeveer min 10 graden. Overdag vrij zonnig met maximumtemperaturen ongeveer min 2 graden. Weinig wind.

Links*: een radioweerbericht bestaat al meer dan 50 jaar. Hier een foto van de eerste uitzending van een weerbericht in Frankrijk in 1922.*

Links: *het weer bij de* NOS *en de* BRT. Onder: *het weerbericht voor het* NOS-*journaal wordt vanuit de* TV-*kamer van het* KNMI *doorgegeven naar Hilversum.* Daaronder: *inspreken van het bandje voor nummer 003.*

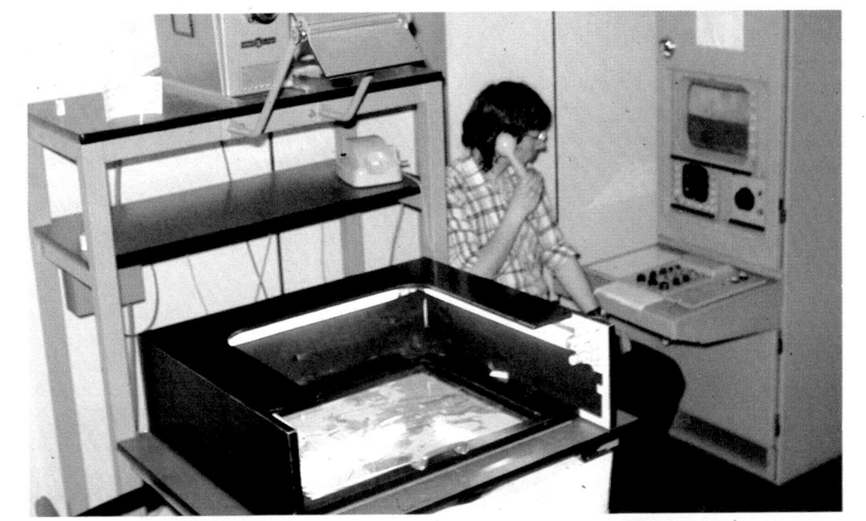

Deelnemers aan de barre wedstrijdtocht van 1963, die werd gewonnen door Reinier Paping.

In een quiz voor de Belgische televisie werd de vraag gesteld: Wat hebben de volgende steden gemeen: Dokkum, Leeuwarden, Sneek, IJlst, Sloten, Staveren, Hindeloopen, Workum, Bolsward, Harlingen en Franeker? Het antwoord had moeten luiden: het zijn de steden van de Friese elfstedentocht. Het antwoord bleef echter uit, niet alleen omdat de elfstedentocht niet leeft in België, maar ook omdat Belgen aanmerkelijk minder belangstelling hebben voor de schaatssport.
In Nederland wordt de elfstedenkoorts hoger naarmate de temperatuur lager wordt. Duizenden Friezen en Hollanders trainen al jarenlang op kunstijsbanen in de hoop dat er ooit nog weer eens een elfstedentocht komt. Er moet overigens onderscheid gemaakt worden tussen de elfstedenwedstrijd en de elfstedentocht. Bij de wedstrijd trachten de deelnemers, die rugnummers dragen, het 212 km lange parcours zo snel mogelijk af te leggen. Bij de tocht gaat het om de sportieve prestatie het traject tussen 06.15 en 24.00 uur te volbrengen. Voornamelijk in de wedstrijd is het sportieve element nogal eens zoek geweest. De geschiedenis van de elfstedentocht zit vol laster, bedrog en zelfs handgemeen (bij de finish in 1940). Veel deelnemers aan de toeristische 'tocht' genieten nauwelijks van het mooie Friese landschap. De tocht kan hard en zwaar zijn. In 1942 werden er volgens de officiële gegevens 391 gevallen van bevriezing geconstateerd. In 1963, toen het veel kouder

Elfstedentochten

was, moet dat aantal veel hoger zijn geweest. Velen missen tenen en sommigen een been door bevriezing; een enkeling bekocht zijn deelname met de dood. Het charmante van de elfstedentocht is overigens dat zij bijna nooit gehouden wordt. Er zijn tussen 1900 en 1978 slechts 12 elfstedentochten gehouden, te weten in januari 1909, februari 1912, januari 1917, februari 1929, december 1933, januari 1940, februari 1941, januari 1942, februari 1947, februari 1954, februari 1956, januari 1963. Dit schrijvende in de zomer van 1978 is het uiteraard onbekend of de winter van 1978/1979 een elfstedentocht zal brengen. Er wordt gezegd dat er tegenwoordig geen strenge winters meer zijn. Op de volgende bladzijden zal blijken of dat zo is.

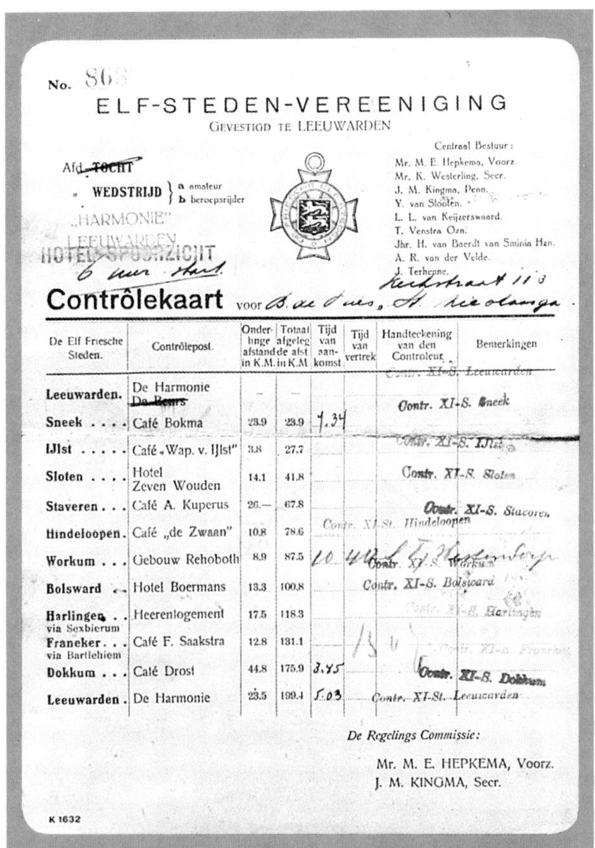

No. 863

ELF-STEDEN-VEREENIGING

GEVESTIGD TE LEEUWARDEN

Centraal Bestuur:
Mr. M. E. Hepkema, Voorz.
Mr. K. Westerling, Secr.
J. M. Kingma, Penn.
Y. van Slooten.
L. L. van Keijzerswaard.
T. Venstra Ozn.
Jhr. H. van Baerdt van Sminia Hzn.
A. R. van der Velde.
J. Terhenne.

Afd. ~~TOCHT~~
" WEDSTRIJD } a amateur / b beroepsrijder

„HARMONIE"
LEEUWARDEN
HOTEL SPOORZICHT
6 uur start

Contrôlekaart voor B. de Vries, St. Nicolaasga

De Elf Friesche Steden.	Contrôlepost.	Onderlinge afstand in K.M.	Totaal afgelegde afst. in K.M.	Tijd van aankomst	Tijd van vertrek	Handteekening van den Controleur	Bemerkingen
Leeuwarden.	De Harmonie ~~De Beurs~~	–	–			Contr. XI-S. Leeuwarden	
Sneek	Café Bokma	23.9	23.9	7.34		Contr. XI-S. Sneek	
IJlst	Café „Wap. v. IJlst"	3.8	27.7			Contr. XI-S. IJlst	
Sloten	Hotel Zeven Wouden	14.1	41.8			Contr. XI-S. Sloten	
Staveren	Café A. Kuperus	26.–	67.8			Contr. XI-S. Stavoren	
Hindeloopen.	Café „de Zwaan"	10.8	78.6			Contr. XI-St. Hindeloopen	
Workum	Gebouw Rehoboth	8.9	87.5	10.40		Contr. XI-S. Workum	
Bolsward	Hotel Boermans	13.3	100.8			Contr. XI-S. Bolsward	
Harlingen via Sexbierum	Heerenlogement	17.5	118.3			Contr. XI-S. Harlingen	
Franeker via Bartlehiem	Café F. Saakstra	12.8	131.1			Contr. XI-S. Franeker	
Dokkum	Café Drost	44.8	175.9	3.45		Contr. XI-S. Dokkum	
Leeuwarden.	De Harmonie	23.5	199.4	5.03		Contr. XI-St. Leeuwarden	

De Regelings Commissie:
Mr. M. E. HEPKEMA, Voorz.
J. M. KINGMA, Secr.

K 1632

Fraaie opname uit een van de slechts 12 Elfstedentochten die deze eeuw werden gehouden. Links: *deelnemerskaart van Bouke de Vries uit Sint-Nicolaasga voor de wedstrijd van 1940.*

Strenge winters

Met het overzicht hiernaast wordt een einde gemaakt aan een sprookje. Ook na de laatste elfstedentocht kwamen er nog schaatswinters voor en van 1935 tot 1938 waren er 4 slappe winters op een rij. Hoewel het gemiddelde nog niet aantoonbaar is gewijzigd is het wel waar dat de laatste 7 winters (1972–1978) zacht of zeer zacht waren. De beroemde koude winter van 1890/1891 met een zeer lange onafgebroken vorstperiode (van ca. 60 dagen) valt op in het overzicht. Zo ook de zeer strenge winter van 1962/1963, toen de gemiddelde temperatuur in Nederland –3 °C was. De winter van 1974/1975 was daarentegen heel zacht met een gemiddelde van + 5,9 °C in België. We zien ook de plaatselijke verschillen: 1977/1978 was bij ons slap, maar in New York uitzonderlijk streng.
De laagste temperatuur die ooit in Nederland werd gemeten bedroeg –27,4 °C (op 27 januari 1942 in Winterswijk), en in België –30,1 °C (20 januari 1940 in Rochefort); de laagste temperatuur op aarde, –88,3 °C, werd in het jaar 1960 aan de zuidpool gemeten.

Geheel boven: *gedenklepel. Er staat vermeld: '1740 Den 26 Feb. Dor ik na Enkhuijsen Rie Overzee Met mijn Eigen Paard en Slee.'*
Boven: *tabaksdoos. 'Ter gedagtenis van de Ongemeene Harde Winter in 't Jaar 1709 en 1712.'* Links: *auto's over de Rijn bij Opheusden in 1956.*
Links onder: *te voet van Groningen naar Schiermonnikoog, eind februari 1963.*

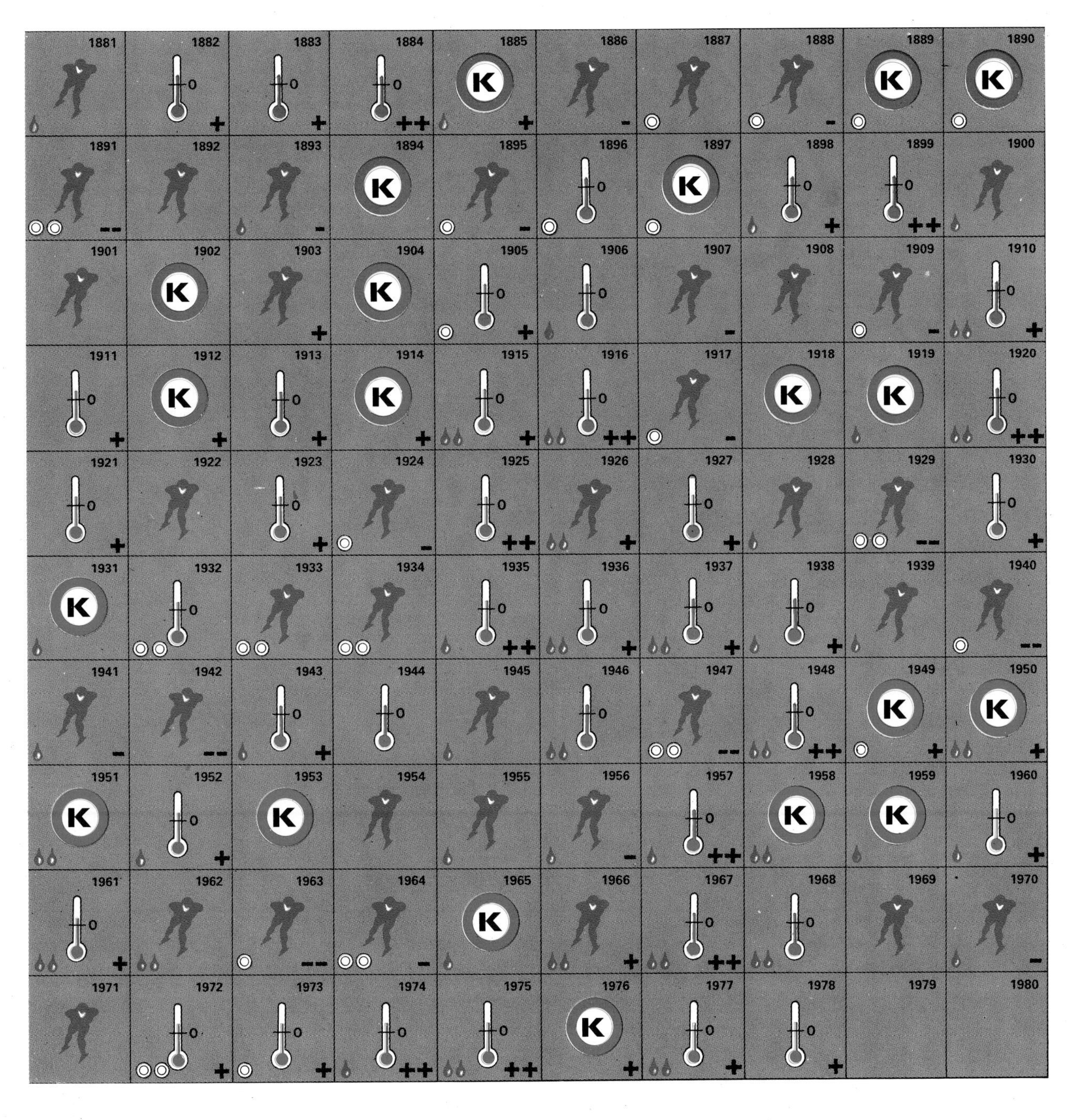

De indeling naar schaats-, kwakkel- *of* slappe winters *berust op het* KOUDEGETAL *van Hellman. Dit getal wordt als volgt verkregen: Over de periode november t/m maart wordt van elke dag het etmaalgemiddelde van de temperatuur bepaald. In dit geval van De Bilt. Als dit gemiddelde onder nul ligt, bijv. –1,2°C is, wordt van een negatief etmaalgemiddelde gesproken. De som van alle negatieve etmaalgemiddelden uit een winter is het* KOUDEGETAL. *Hoe groter dit getal, hoe strenger de winter! De winter van 1881 is die van november 1880 t/m maart 1881, enz.*

< 50: slappe winter

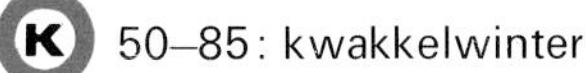
50–85: kwakkelwinter

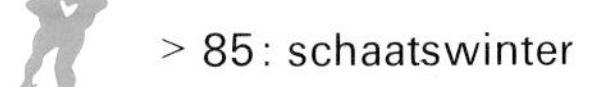
> 85: schaatswinter

Linksonder in het blokje is vermeld hoe het neerslagkarakter van de winter was. Rechtsonder hoe koud of hoe zacht hij was.

Landgemiddelde van de neerslag over december, januari en februari

◎◎	zeer droog	≤ 95,0 mm
◎	droog	95,1–125,0 mm
	normaal	125,1–174,9 mm
💧	nat	175,0–205,0 mm
💧💧	zeer nat	≥ 205,0 mm

Gemiddelde wintertemperatuur in De Bilt over december, januari en februari

– –	zeer koud	< 0,0 °C
–	koud	0,0–1,0 °C
	normaal	1,1–2,9 °C
+	zacht	3,0–4,0 °C
++	zeer zacht	> 4,0 °C

Hete zomers

Net als voor de winters geven we voor de zomers een overzicht. Er staan nogal wat zonnetjes in dat overzicht. Blijkbaar kunnen we vaak het water opzoeken en worden de stranden overvol. Soms wordt het zo warm dat we van een hittegolf kunnen spreken. De koeien op de foto zochten verkoeling in de IJssel toen een hittegolf in augustus 1944 enkele records deed sneuvelen.
Overigens is één zo'n hittegolf onvoldoende om een zomer 'mooi' te laten zijn: volgens ons overzicht is hij normaal. De warmste dag die ooit in Nederland werd gemeten was tijdens de genoemde hittegolf. Op 23 augustus 1944 steeg het kwik in Warnsveld tot 38,6 °C. In België was het maximum 38,8 °C in Ukkel op 27 juni 1947. De hoogste temperatuur die ooit op de aardbol werd geregistreerd bedroeg 58,4 °C; dat was in Algerije in 1973. De warmste zomers zijn die van 1947 en 1976, toen gemiddelden van 18,7 °C en 18,4 °C werden gemeten in De Bilt en in Ukkel van 18,8 °C en 19,6 °C. Opmerkelijk is nog dat, waar we wat ontevreden zijn over de winters in de afgelopen jaren, we hebben geboft met de zomers.

Typische beelden van 'hete zomers' met rechts: *koeien in de IJssel en* boven: *rails, door de hitte spectaculair uitgezet.*

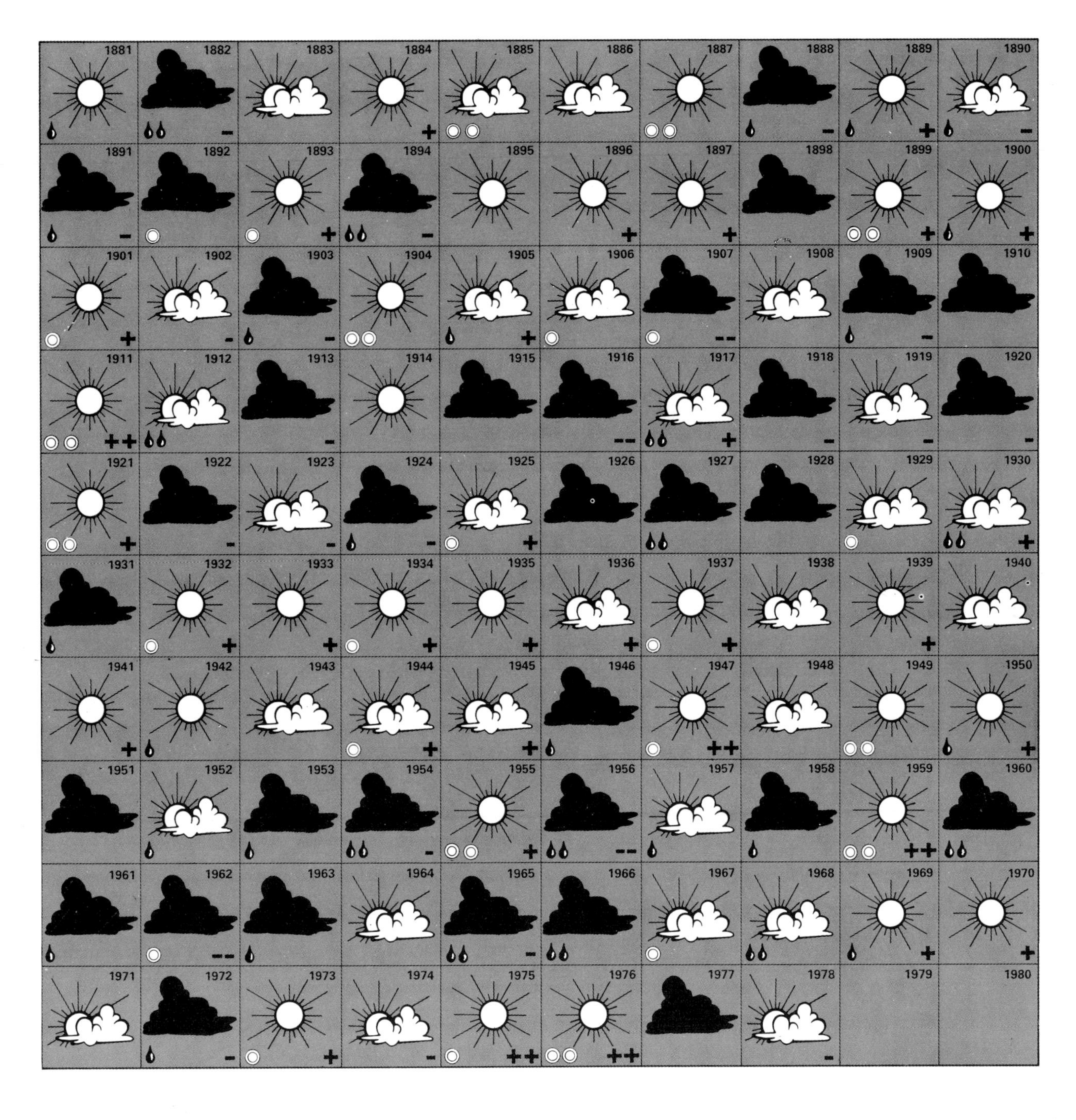

De indeling naar slechte, normale *of* mooie *zomers berust op het totale* aantal warme, droge en zonnige dagen *over de drie zomermaanden (juni, juli, augustus) samen. Hiervoor is uitgegaan van de metingen in De Bilt. Maximaal kunnen dit er 92 zijn. Een topzomer telt er 40–50, zoals: 1947: 51, 1976: 47, 1975: 36. Zeer slechte zomers tellen er slechts enkele, zoals: 1962: 1, 1956: 3, 1954: 5, 1918: 1.*

0–12 : slechte zomer

13–19 : normale zomer

20 en meer: mooie zomer

Linksonder in het blokje is het neerslagkarakter van de zomer vermeld. Rechtsonder hoe koud of hoe warm hij was.

Landgemiddelde van de neerslag over juni, juli en augustus

◎◎ zeer droog	135,0 mm
◎ droog	135,1–175,0 mm
normaal	175,1–234,9 mm
nat	235,0–275,0 mm
zeer nat	275,0 mm

Gemiddelde zomertemperatuur van De Bilt over juni, juli en augustus

−− zeer koud	14,8 °C
− koud	14,8–15,5 °C
normaal	15,6–16,5 °C
+ warm	16,6–17,3 °C
++ zeer warm	17,3 °C

Weer en verkeer

Op woensdagmorgen 22 maart 1978 registreerde de Rijkspolitie in Nederland 250 botsingen op autowegen. De botsingen waren het gevolg van gladde wegen, veroorzaakt door ijzel. Sedert 11 uur de vorige avond waren via de radio waarschuwingen uitgezonden, maar de weggebruikers weigerden meer afstand te houden en langzamer te rijden. Kortom, ze pasten hun rijgedrag niet aan aan de weerssituatie.
Als er opeens dichte mist komt, gebeurt er ergens op de Nederlandse of Belgische autowegen op zijn minst een kleine ramp. Soms een grote: Prinsenbeek!
Het KNMI gaf in 1976 aan de ANWB en de Rijkspolitie 1000 gladheidswaarschuwingen door. In België worden de waarschuwingen voor het wegverkeer opgesteld door de Meteorologische Wing van de Luchtmacht.
KNMI en KMI geven aan spoor- en trammaatschappijen per jaar meer dan 100

Links onder: *extreme verkeerssituatie tijdens sneeuw. Rijksweg Leeuwarden–Heerenveen, 19 januari 1963.*
Onder: *de politie beveiligt files zowel op de grond als vanuit de lucht.*

Enkele opnamen van de verkeersramp 'Prinsenbeek'.

waarschuwingen voor ijzel en sneeuw door. Weer en verkeer hebben alles met elkaar te maken. Gladde wegen, files en botsingen, soms kost dat mensenlevens. Een deel van de 2500 doden op de weg in Nederland en van de 1650 verkeersslachtoffers in België per jaar is een gevolg van weersinvloeden waarmee de mens onvoldoende rekening hield. Let daarom altijd op de volgende zaken:

- Pas uw snelheid aan. Rij attent en verantwoord bij mist en gladde wegen.
- Houd voldoende afstand. Zorg voor een extra grote afstand bij mist en gladde wegen.
- Zorg voor een goede verlichting (ook overdag) als het slecht weer is.
- Gebruik in een noodsituatie de alarmknipperlichten om achteropkomend verkeer te waarschuwen.
- Rij door als u bij een ongeluk komt waar al hulp wordt geboden, anders kunt u nieuwe botsingen veroorzaken.

Weer en luchtvaart

Voor de luchtvaart is het weerbericht een uiterst belangrijk gegeven. Op de grote vliegvelden is dan ook altijd een weerdienst, die de piloten de nodige gegevens verschaft. In Nederland worden per jaar ca. 100 000 weersverwachtingen voor vliegroutes afgegeven. Een piloot heeft te maken met de weersituatie op de plaats van vertrek, op de plaats van aankomst en uiteraard ook met de situatie in de lucht. Ongunstige weersomstandigheden kunnen roet in het eten gooien en zo moest de KLM in 1976 om deze reden bijvoorbeeld 45 vluchten afgelasten. Bovendien moest op 239 vluchten worden uitgeweken naar een andere luchthaven wegens slecht weer op de plaats van bestemming (in 118 gevallen wegens mist). En dit alles op een totaal van 65 000 vluchten in dat jaar. Volgens gegevens van de KLM zijn met name Amsterdam en Milaan onderhevig aan snel wisselende weersomstandigheden.

Aangezien steeds hoger wordt gevlogen, heeft men tijdens de vlucht minder last van slecht weer dan vroeger, omdat men bij een grotere vlieghoogte 'boven' het weer vliegt. Zo heeft onweer niet veel invloed meer, hoewel hevige onweersbuien worden gemeden. Deze worden door de radar aan boord van het vliegtuig geregistreerd. Op zeer grote hoogte is de invloed van de wind echter groot, hetgeen het brandstofverbruik doet stijgen, zodat de hoeveelheid brandstof mede wordt bepaald door weerkundige gegevens.

Grote weerproblemen voor de luchtvaart zijn nog steeds: zeer lage temperaturen op grote hoogte (ijsafzetting op de vleugels, waardoor de vorm van de vleugels verandert), mist en (de vaak moeilijk te voor-

Boven: *cockpit van een DC-8. Let op de radar waarmee buien kunnen worden opgespoord.*
Rechts: *zicht op landingsbaan 2000 meter.*

spellen) turbulentie. Ook vorst op geringe hoogte kan een probleem zijn omdat daardoor de landingsbaan glad kan worden. Men probeert dit tegenwoordig te voorkomen door de banen te verwarmen (in Anchorage) of door heet zand op de landingsbaan te strooien. IJsafzetting op de vleugels probeert men te voorkomen door de vleugels te verwarmen.

Wat mist betreft: dit blijft een levensgroot probleem. Zelfs met de moderne instrumenten (radar) wil men bij de landing graag een zicht hebben van 400 meter. Strikt genomen is een volledig automatische landing in dichte mist mogelijk, maar in de praktijk komt dit niet voor. In Parijs wordt de mist door sterke motoren weggeblazen, zodat men daar altijd kan landen. De kosten van de installatie zijn echter hoger dan de kosten van uitwijken naar een andere luchthaven.

Bij alle meteo-informatie voor de luchtvaart gaat het in de eerste plaats om de veiligheid en niet om de economie van de vlucht. In België is de weerkundige dienst van de RLW (Regie der Luchtwegen) verantwoordelijk voor alle weersvoorspellingen voor de burgerluchtvaart, terwijl de Meteorologische Wing van de Luchtmacht de verantwoording draagt voor de militaire vluchten. In Nederland zijn weersvoorspellingen voor de burgerluchtvaart ondergebracht bij het KNMI, dat een grote afdeling op Schiphol heeft. De Nederlandse luchtmacht beschikt over eigen meteorologen.

Meteorologie is zo belangrijk voor de luchtvaart, dat dit vak een van de zes hoofdvakken is bij de vliegeniersopleiding. De piloten leveren op hun beurt ook weer een bijdrage aan de verzameling van weergegevens door windsnelheden, windrichtingen, buitentemperatuur e.d. te registreren en deze door te geven. Er is thans overigens een experiment gaande waarbij dit soort gegevens via een satelliet automatisch wordt doorgegeven naar weerstations op aarde.

Voor de vlucht verschaft de meteobalie van Schiphol gegevens aan vertrekkende vliegers.

Landen in de mist. Dit is een opname van de aankomst van de eerste Boeing-747 van de KLM op Schiphol.

Boven: *tanker in volle zee.* Links: *het verplaatsen van een booreiland is alleen mogelijk bij kalme zee.*

Rechts: *wrak van het Chinese vrachtschip Wan Chun op het strand na een vliegende storm (1972).*

Schepen en booreilanden

De zee heeft al menigmaal haar tol geëist; hele vloten zijn verzwolgen door de golven. Toch duurde het lang (in Nederland tot 1 juni 1860) voor er met een stormwaarschuwingsdienst werd begonnen. Het probleem was aanvankelijk schepen te bereiken. De komst van de telegrafie (rond 1900) en de radio (rond 1935) heeft dit probleem opgelost. Tegenwoordig bereiken sommige waarschuwingen schepen al via speciaal hiervoor gelanceerde satellieten.
Zowel het KNMI als het KMI maakt speciale weersverwachtingen voor de scheepvaart en beide stellen stormwaarschuwingen op. Schepen doen op hun beurt tijdens de vaart meteorologische waarnemingen, waardoor de weerkundige instituten in staat zijn de weersontwikkelingen ook op de oceanen te volgen. Sommige bedrijven verzamelen die gegevens ook nog voor zichzelf. Zo ontvangt Shell weergegevens van 4500 koopvaardijschepen en 50 onderzoekschepen. Shell en andere hebben belangstelling voor deze informatie in verband met het toenemend aantal drijvende en vaste booreilanden. Deze booreilanden worden zo geconstrueerd dat ze bestand zijn tegen maximaal slecht weer. Zo wordt er op de Noordzee rekening gehouden met een maximaal mogelijke golfhoogte van 30 meter, maar bij Nigeria slechts van 11,50 meter.

HMS *'Egmont' in de storm. Deze tekening van een officier werd gemaakt in oktober 1780.*

Schepen krijgen tegenwoordig ook adviezen over de te volgen route op de oceaan. Met die route wordt getracht de zwaarste storm- en golfvelden zoveel mogelijk te vermijden, zodat de passagiers een meer comfortabele reis hebben, het schip en de lading minder kans lopen op beschadiging en ook het tijdschema beter kan worden voorzien. Grote scheepsrampen ten gevolge van stormweer komen gelukkig steeds minder voor, maar door navigatiefouten of aan de grond lopen doen zich ook tegenwoordig nog wel scheepsrampen voor, zoals bij de olietanker *Amoco Cadiz,* die in maart 1978 voor de Bretonse kust in tweeën brak. Schepen behoeven overigens ook niet meer op ijsbergen te varen (zoals de *Titanic*) omdat ijsbergen dank zij radar en weersatellieten tijdig kunnen worden gesignaleerd.
Meteorologen geven voor het transport van booreilanden en ook voor de begeleiding van supertankers door de speciaal gebaggerde toegangsgeulen naar Europoort o.a. verwachtingen voor gevaarlijke deining, die soms door ver verwijderde stormvelden opgewekt kan zijn.

Stormweer en dijkdoorbraken

Op zaterdagmiddag 31 januari 1953, 18.00 uur gaf het KNMI via de radionieuwsdienst de volgende waarschuwing uit: 'Boven het noordelijk en westelijk deel van de Noordzee woedt een zware storm tussen noordwest en noord. Het stormveld breidt zich verder uit over het zuidelijk en oostelijk deel van de Noordzee. Verwacht mag worden dat de storm de gehele nacht zal voortduren. In verband hiermee werden vanmiddag om halfzes de groepen Rotterdam, Willemstad en Bergen op Zoom gewaarschuwd voor gevaarlijk hoogwater.' In de loop van de nacht bereikte de storm zelfs orkaansterkte. Op het moment van hoogwater stond de zee zo hoog dat het water op vele plaatsen over de lage dijken aan de zuidzijde van de eilanden heen sloeg en de dijken van binnenuit uitspoelde en wegzoog. Het duurde op 1 februari erg lang voor de ernst van de dijkdoorbraken tot de Nederlanders doordrong. De trieste balans, pas weken later opgemaakt: 1850 doden en 100000 geëvacueerden. Deze ramp werd de aanleiding tot het opzetten van het Deltaplan.

Het was niet de eerste keer dat het laaggelegen Nederland door een stormvloed werd verrast. De herinnering gaat terug naar vele andere grote overstromingen zoals de Elisabethvloed op 18 en 19 november 1421, waarbij in Zuidholland een dertigtal dorpen ten onder ging. Na de ramp van 1953 is men begonnen de dijken zodanig te verhogen dat zo'n ramp normaal gesproken niet meer kan voorkomen.

Dijkdoorbraak ten westen van het dorp Klundert (1953). Op de foto een gedeelte van het ondergelopen dorp.

GEZICHT VAN DEN HOGEN VLOED, IN DEN N. N. W. STORM, VOOR SCHEVENINGEN, DEN 15 DEN NOVEMB. 1775.

Als het KNMI nu een hoogwaterstand verwacht, die bepaalde bewakingspeilen zal overschrijden, wordt Rijkswaterstaat gewaarschuwd en dan treedt de stormvloedwaarschuwingsdienst in werking: op dijken wordt gepatrouilleerd, militairen staan gereed om hulp te bieden, burgemeesters en commissarissen van de koningin worden gewaarschuwd, de BB staat gereed en overal houden de waterschappen de vinger aan de pols. Als er zich weer een ernstige situatie voordoet zal Nederland niet worden verrast.

Bij dijkbewakingssituaties staan colonnes militaire vrachtwagens gereed om hulp te bieden.

Stormweer en drenkelingen

Op 3 januari 1978 teisterde een hevige storm grote delen van Europa. Voor de Nederlandse en Belgische kust kwam een groot aantal schepen in moeilijkheden en enkele schepen vergingen in die storm. Zeker 17 zeelieden verloren het leven in de woeste golven. Een veel groter aantal werd gered, omdat hulp werd geboden vóór de schepen waren gezonken. In Nederland wordt dit soort hulpacties gecoördineerd door een onderdeel van de Koninklijke Marine, de OSRD (Opsporings- en Reddingsdienst). De OSRD werkt samen met andere organisaties zoals de KNZRM (Koninklijke Noord- en Zuid-Hollandse Reddings Maatschappij) en de Koninklijke Luchtmacht (die de SAR = Safe and Rescue-helikoptergroep kan inzetten). De OSRD voert thans rond 35 acties per jaar uit. Bij die acties worden vliegtuigen ingezet om drenkelingen te lokaliseren en worden helikopters gebruikt om drenkelingen op te halen.
In België staan ook dag en nacht reddingseenheden klaar op de basis van de luchtmacht te Koksijde, waar de Reddingsdiensten Zee zetelen.

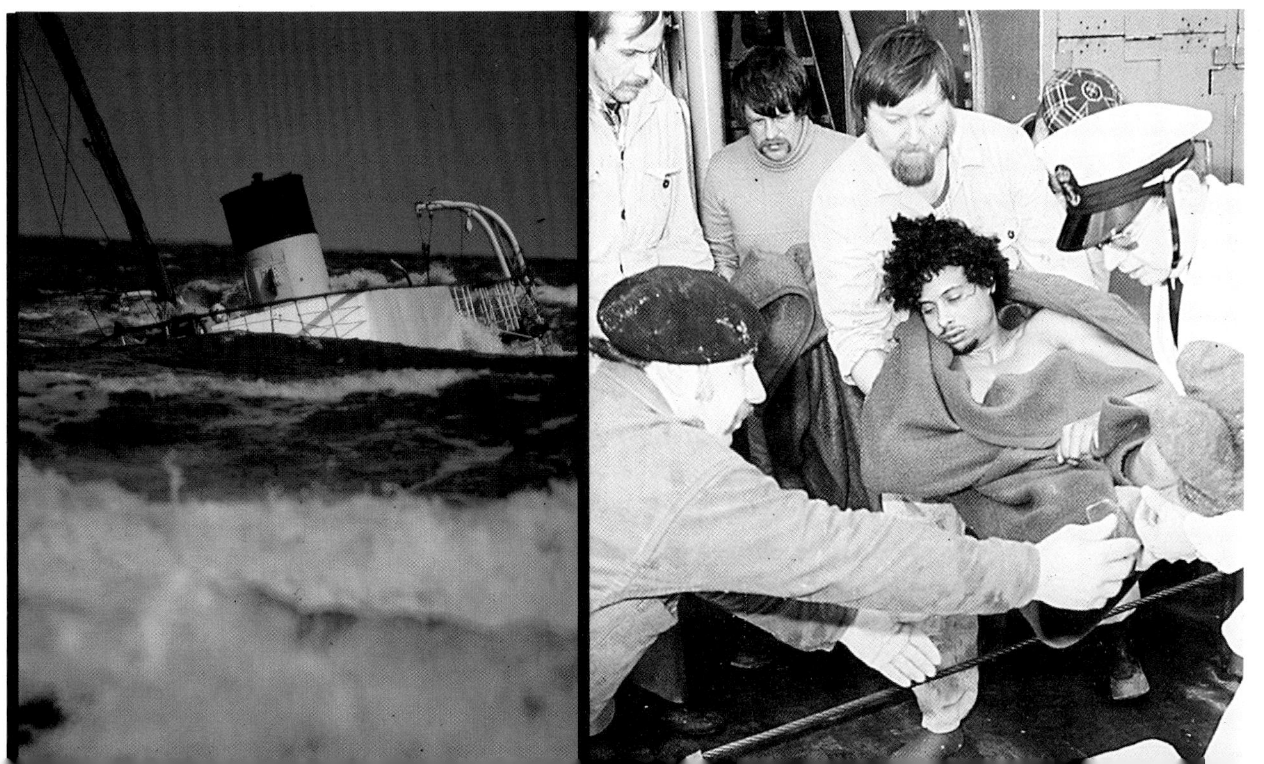

Boven: *26 maart 1978. De 'Elbe' uit Hamburg in nood. De* OSRD *voerde een geslaagde reddingsoperatie uit voor vier opvarenden. De foto's op blz. 24 tonen een oefenende* OSRD. *Let eens op het befaamde 'paard van Marken', de vuurtoren op de foto uiterst links.*

Storm boven land

Het lijkt wel of we de laatste jaren steeds meer worden gekweld door zware stormen. Nederland herinnert zich bijvoorbeeld bijzonder goed de zware stormen die kort na elkaar, op 13 november 1972 en 2 april 1973 grote schade aanrichtten. De verzekeringsmaatschappijen schatten de totale schade van die twee stormen samen op 400 miljoen gulden. In 1954 kreeg Nederland binnen 4 dagen (van 21 t/m 24 december) twee zeer zware stormen te verduren. De stormdepressies hadden in hun kern een lagere luchtdruk dan die van de noodlottige storm die op 1 februari 1953 de watersnoodramp veroorzaakte, maar gelukkig waren de bijbehorende stormvloeden minder hoog.
Een enkele keer worden Nederland en België getroffen door een sterke windhoos. Zwakke hozen komen in onze landen zo'n 25 keer per jaar voor. Heel sterke windhozen (ook wel tornado's genoemd) troffen Oostmalle, Tricht, Borculo en Ameland. Minder bekend is dat de Domtoren in Utrecht los staat van de kerk omdat het verbindingsstuk op 1 augustus 1674 door een tornado werd weggeslagen. Ook windhozen kunnen een vernietigende kracht hebben. De kern is meestal niet groter dan 250 meter, maar ze kunnen wel een afstand van 150 km over de aarde afleggen! In de kern is de luchtdruk erg laag, daardoor kunnen huizen, waarin de luchtdruk nog veel hoger is, gewoon uit elkaar spatten. De tornado gaat gepaard met verschrikkelijke windsnelheden: tot 800 km/uur. De foto's op de rechterbladzijde illustreren de verwoestende werking van de windhozen. Op de linkerbladzijde zien we enkele van de talloze voorbeelden van 'gewone' stormschade.

De jaren 1972 en 1973 hebben zich gekenmerkt door zware stormen, waarbij vele bouwsels, zoals de loods links, maar ook vele bossen het moesten ontgelden.

Camping Duinoord op Ameland (11 augustus 1972): een windhoos heeft een spoor van vernieling (van links beneden naar rechts boven) getrokken.
Onder: *tekening van Herman Saftleven van de Utrechtse Dom na de tornado van 1674. Sinds deze natuurramp staat de Domtoren los van het schip, zoals op de foto duidelijk is te zien.*

Blikseminslag

In de nacht van 6 op 7 augustus 1546 werd de stad Mechelen door een van de grootste rampen in haar geschiedenis getroffen. Tijdens een hevig onweer sloeg de bliksem in de Zandpoort, een van de toenmalige twaalf stadspoorten, waarvan nu alleen nog de Brusselse poort bestaat. In de Zandpoort, die was dichtgemetseld, lagen 40000 tonnetjes buskruit opgeslagen. Bij de explosie die volgde op de blikseminslag werden meer dan 200 mensen gedood. Het naburige paleis van Maria van Hongarije (nu het gerechtsgebouw) werd beschadigd. Omdat het paleis niet onmiddellijk kon worden hersteld bracht Maria, landvoogdes van de toenmalige Nederlanden, haar hof over naar Brussel. Zo werd Brussel door een blikseminslag in Mechelen de hoofdstad!

Op bladzijde 100 en 101 zullen we uitleggen wat bliksem precies is, hier gaan we slechts in op de gevolgen. Ook in Nederland en België komen mensen om het leven als gevolg van blikseminslag. In Nederland is het gemiddelde aantal doden per jaar 6. Merkwaardig genoeg waren deze cijfers 100 jaar geleden twee keer zo hoog. Ondanks het feit dat de bevolking is toegenomen zijn er nu minder slachtoffers. Dat komt omdat we ons beter zijn gaan beschermen en omdat we minder vaak op gevaarlijke plekken vertoeven.

De bliksemafleider, uitgevonden door Benjamin Franklin, voorkomt veel ongevallen en vooral veel schade. Het principe is simpel: probeer de bliksemontlading te leiden, zodat er geen schade wordt aangericht. Vooral bij hoge gebouwen (kerktorens) is een bliksemafleider zinvol. Op die gebouwen zal vaak niet alleen een metalen punt boven de top uitsteken, maar zal ook een draad over de nok zijn gespannen. De hoge punten zijn via een lange draad met de aarde verbonden. Zo wordt de elektrische lading, waaruit een bliksem bestaat, afgevoerd naar de grond. Als de bliksem op een auto slaat gebeurt er niet veel: er komt elektrische lading op de buitenkant. De auto zal meestal in de regen rijden, de lading wordt dan afgevoerd. Als het droog is kunt u voorzichtig contact maken met een lantaarn-

Links: *slachtoffer van bliksem.* Onder: *bliksem slaat in een kruittoren te Rhijnberk (26 juni 1636). Resultaat: 'ellendige verwoesting'.*

Blikseminslag op de 384 meter hoge mast in Lopik tijdens het onweer van 23 juni 1972.
Onder: *bliksemproef met een auto.*

paal *voordat* u uitstapt. De foto laat bliksemproeven met een auto zien bij het Kemabedrijf in Arnhem.
Nog enkele tips: een stad is veiliger dan het platteland. Huizen en auto's zijn relatief veilig. Vermijd in de open lucht alleenstaande bomen. Als u in het open veld bent bij onweer, wacht dan gehurkt met knieen en hakken tegen elkaar op het einde van het onweer. Zwem niet tijdens onweer. Blijf uit de buurt van metalen voorwerpen: fiets, tractor enz.
Televisieantennes zijn gevaarlijk als mogelijke plaats voor blikseminslag naarmate ze hoger zijn en naarmate er minder hoge gebouwen in de omgeving staan. Een vrijstaand huis met een hoge TV-antenne vereist dus maatregelen als men geen grote risico's wil aanvaarden. De eenvoudigste maatregel is de antenne door een vakman te laten aarden.

Regenval en overstromingen

Het komt in Nederland en België maar zelden voor dat er binnen 24 uur meer dan 10 centimeter regen op één plaats valt. Toch zijn er verschillende gevallen van bekend; zo werden records voor neerslag in een etmaal gevestigd door:

Nederland		
Voorthuizen	3 aug. 1948	208 mm
Gouda	24 juni 1975	146 mm
Schagen	13 aug. 1932	128 mm
Uithuizen	14 aug. 1915	126 mm
België		
Leuven	14 mei 1906	200 mm
Herbestal	24 juni 1953	242 mm

Een hevige regenval kan grote problemen opleveren. Straten staan onder water, zodat het verkeer wordt ontwricht, kelders lopen onder water en wegen verzakken. De riolen kunnen het water soms niet verwerken. Dat was bijvoorbeeld in augustus 1977 het geval in Eindhoven. Daar viel ook in 24 uur meer dan 8 centimeter regen en in één week meer dan 200 mm. Dit betekent dat er op iedere vierkante meter 200 liter water was gevallen. Als het langdurig regent kunnen grote gebieden onder water komen te staan omdat de waterspiegel in de afwatering te veel stijgt. In België heeft de streek bij Boom en Ruisbroek daar nogal eens onder te lijden.
De grootste regendruppels hebben een middellijn van ongeveer 5 millimeter. Ze vallen met een snelheid van 8 meter per seconde, zodat een hevige regenbui letterlijk hard aankomt.

Karakteristieke opname van dreiging van een naderende regenbui.

Noodweer in Frankrijk

A.D 7-7-1977

Van onze correspondent

PARIJS – Verwoestend rollen sinds 48 uur onweersbuien, vergezeld van hagel, over Zuidoost-Frankrijk. Zij hebben vooral in de Bourgogne en de Franche-Comté grote schade aangericht.

In het plaatsje Champagnole staat het water twee meter hoog in de straten. In de streek Bourgogne is vooral de streek van Beaune getroffen. De wijnoogst heeft zeer sterk geleden.

Geheel boven: *overstromingen in de streek van Boom/Ruisbroek op 5 januari 1976.* Midden links: *door overvloedige regens is de Molenbeek buiten haar oevers getreden en heeft de straten van het Belgische Ternat blank gezet (23 oktober 1974).*

Sneeuwval en lawines

Met deze bladzijde komen we aan het einde van het deel van het boek dat handelt over veiligheid. We hebben willen aanstippen dat weer veel mensenlevens kan kosten: in het verkeer, de luchtvaart, op zee, bij stormen en windhozen, door bliksem en overstromingen. In de Verenigde Staten wordt het aantal doden per jaar ten gevolge van het weer op 1200 geschat. Rekening houdend met een kleinere bevolking komen we voor Nederland en België op 100 tot 200.
Eén aspect hebben we nog niet behandeld: sneeuwval en lawines. Sneeuw kan hele dorpen isoleren, maar tegenwoordig is dat niet meer zo rampzalig. Moderne communicatiemiddelen zorgen voor een draadloze verbinding en helikopters worden ingezet om dringende problemen op te lossen. Alleen vergen lawines nog wel steeds slachtoffers. Om een cijfer te geven: in het seizoen 1975–1976 werden in Frankrijk 50 maal skiërs door lawines getroffen waarbij 41 mensen de dood vonden. We willen dit deel over de veiligheid echter op een positieve manier besluiten. Daarom laten we een heel fraaie winteropname van het Zwitserse dorp Reckingen im Goms zien. Daarbij de volgende tip voor de skiërs: de Franse fotograaf en ski-enthousiast Philippe Holder ontwikkelde een apparaat om het zoeken naar lawineslachtoffers te vergemakkelijken. Het apparaat weegt slechts 65 gram en heeft de vorm van een cilinder (spuitbus). Als een skiër door een lawine wordt overvallen drukt hij op een knopje, waardoor er een vuurrode ballon wordt opgeblazen. Die ballon is via een 15 meter lang en ijzersterk koord aan de skiër verbonden. De ballon zal de plaats markeren waar de skiër ligt bedolven zodat snelle hulp mogelijk is. De Skivereniging verwacht dat het apparaat hoogstens 100 gulden gaat kosten en dat het spoedig op de markt zal zijn. De getekende strip verduidelijkt de werking.

De foto's op deze bladzijden tonen verschillende vormen van lawines, zoals rechts boven een 'grote stuiflawine' en een zgn. 'abgehende' lawine daarnaast. Rechts: *het romantische Reckingen im Goms (Wallis), een van die vredige dorpen die constant worden bedreigd door lawines.*

Weer en werkgelegenheid

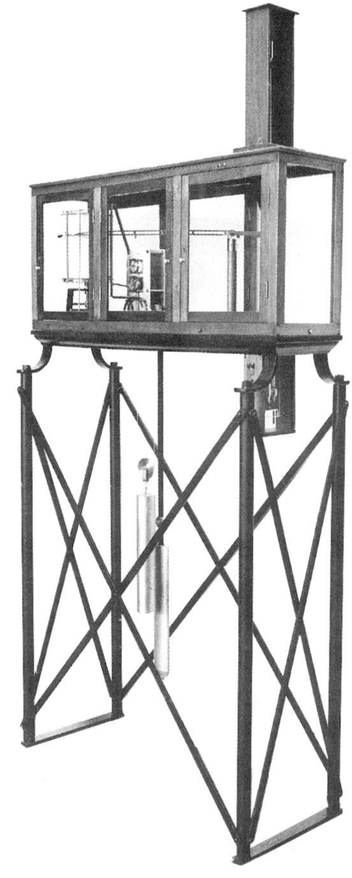

Deze zeer oude barometer, vervaardigd door de firma Olland, staat opgesteld in het KNMI.

In 1853 begon de instrumentmaker Hendrik Olland, op aanraden van de stichter van het KNMI, prof. dr. C. Buys Ballot, in Utrecht voor zichzelf. Het werd de start van de firma Olland die nu nog steeds bestaat en net als het KNMI naar De Bilt verhuisde. Aanvankelijk maakte Hendrik instrumenten voor zijn vroegere leermeester. Een van de oudste instrumenten is nog bewaard gebleven en staat nu in de hal van het KNMI. De firma Olland heeft niet alleen weerapparatuur gemaakt, maar het weer vormde wel de start voor een stukje werkgelegenheid.
Indirect hebben we veel vaker met de relatie weer en economie te maken. Op de volgende pagina's zullen we zien hoe het weer grote economische schade kan aanrichten: in de Verenigde Staten naar schatting 25 miljard dollar per jaar. Soms is de invloed van het weer niet te meten, zoals op 20 januari 1978 toen de goederenbeurs in Wall Street gesloten bleef vanwege een sneeuwstorm.
Een strenge winter heeft grote economische consequenties. Het meest zichtbaar is het vorstverlet in de bouw. Dit vorstverlet varieert van plaats tot plaats. Een gemiddelde voor Nederland geeft het volgende beeld:

winter		*winter*	
1967/1968	9 dagen	1972/1973	2 dagen
1968/1969	15 dagen	1973/1974	3 dagen
1969/1970	20 dagen	1974/1975	1 dag
1970/1971	12 dagen	1975/1976	14 dagen
1971/1972	6 dagen	1976/1977	4 dagen

Opnieuw zien we grote verschillen van winter tot winter. In Nederland kennen we via de Stichting Risicofonds Bouwnijverheid een regeling waarbij werknemers doorbetaald krijgen in geval van vorstverlet. De Stichting Verletbestrijding Bouwnijverheid heeft een regeling die doorbouwen tijdens vorstperiodes stimuleert door extra maatregelen te nemen. België heeft alleen een regeling ter dekking van inkomsten van werknemers indien weersomstandigheden voortzetting van het werk verhinderen. Een financiële regeling ter bestrijding van het verlet is er echter niet. Wel wordt er relatief veel onderzoek verricht door het Wetenschappelijk en Technisch Centrum voor het Bouwbedrijf naar technische aspecten van het doorbouwen. Dit Belgisch Centrum en de Nederlandse Stichting geven tips aan aannemers over het verrichten van verschillende werkzaamheden en het verwerken van materialen onder extreme omstandigheden. We komen nog terug op de bouw.
Net zoals een strenge winter een nega-

Rechts ziet u twee bijzondere foto's uit een oud archief. Bij gebrek aan wind wordt een vrachtzeiler met behulp van mankracht voortbewogen.
Daaronder: *mankracht is ook nodig om in besneeuwd Amsterdam een handkar over de brug te zeulen. De man voor de kar is een zogenaamde cargadoor.*

Uiterst rechts: *de mooie zomer van 1976 bracht de frisdrankmakers een extra omzet van 50 miljoen liter.*

tieve invloed heeft op de werkgelegenheid (doch extra mensen vraagt om gladheid op wegen te bestrijden), zo is het karakter van de zomer van belang. Als de zomer erg warm is, zoals in 1976, moet de frisdrankenindustrie op volle toeren werken. Per jaar drinkt de Nederlandse bevolking 840 miljoen liter frisdrank; in 1976 werd er in enkele maanden tijd 50 miljoen liter extra gedronken. Bij de Heineken bierbrouwerijen ziet men de jaaromzet met 2% stijgen als een zomer goed is, en met 2% dalen als hij slecht is. Bij de Vrumonafabrieken (frisdranken) wordt in de jaarverslagen juichend over de goede zomers van 1975 en 1976 geschreven, maar dezelfde fabriek moest in de slechte zomer van 1977 mensen ontslaan ten gevolge van het weer.

De regenverzekering

Regen kan zorgen voor een grote schade, zoals we al zagen bij regenval en overstromingen. Regen kan echter ook in een heel ander opzicht schade berokkenen. Bij voetbalwedstrijden, bloemencorso's, wielerwedstrijden enz. kan regen tot gevolg hebben dat er geen of minder toeschouwers komen. De organisatoren van dit soort evenementen kunnen zich sedert 1921 laten verzekeren bij de Amsterdamse firma Lugt, Sobbe & Co. Voorzover we weten bestaan er op dit ogenblik geen andere regenverzekeraars in Nederland en België.
Er zijn heel veel vormen van regenverzekering mogelijk. In het algemeen zal de verzekering als volgt werken: een bepaalde som geld wordt verzekerd tegen een bepaalde premie. De som wordt uitgekeerd als er tijdens de verzekeringsperiode meer neerslag is gevallen dan in de polis is bepaald. Men kan bijvoorbeeld kiezen voor een eigen risico van 1 mm neerslag gedurende 2 uur voorafgaande aan het begin van een evenement óf 2 mm gedurende een bepaalde tijd. De te betalen premie hangt niet alleen af van de hoeveelheid neerslag en de duur van de meetperiode, maar ook van de maand. Op grond van de klimatologische gegevens werden de premiebedragen per maand vastgesteld. Daarbij wordt geen verschil gemaakt voor de plaats in Nederland waar men zich bevindt. Als de verzekering echter wordt afgesloten voor het buitenland wordt de premie wel opnieuw bekeken.
Enkele voorbeelden voor Nederland:
De verzekerde som wordt uitgekeerd (in één soort polis) als er in januari 1 mm of meer neerslag valt: a) in 1 uur: premie 6% van de verzekerde som, b) in 2 uur: premie 10%, en c) in 4 uur: premie 22%. Als de verzekerde 2 mm neerslag eigen risico heeft, bedraagt de premie 3% als de 2 mm in één uur wordt overschreden, 5½% als de 2 mm in 2 uur wordt overschreden en 11% als de 2 mm in 4 uur wordt overschreden. Dit alles gold voor januari; in augustus zijn de premies ongeveer 50% hoger!
Teneinde te kunnen vaststellen of de verzekering moet uitbetalen, moet de neerslag worden gemeten. In sommige plaatsen kan daartoe gebruik worden gemaakt van registraties met KNMI-instrumenten. Vaak zal de regenverzekeraar een regenmeter (met instructie) naar een *betrouwbare* waarnemer sturen: de politie, een klooster, een burgemeester. Bij de verzekering van evenementen is het aflezen van de regenmeter, bijv. midden op het sportterrein, vaak een attractie op zichzelf. De regenverzekering is gewoonlijk uitermate serieus, maar ze wordt ook wel gebruikt als publiciteitsstunt (voor de verzekeraar is ze dat trouwens ook).
Over het al of niet uitbetalen is nog nooit

Vader en zoon Van Ommen, de regenverzekeraars van Lugt, Sobbe & Co.

een conflict geweest, al waren er wel eens problemen. Zo vergat men bij een klooster te meten toen de biduren werden veranderd en maakte een moeder-overste van 2,9 mm vaak 3 mm om de verzekerde een plezier te doen... De regenverzekering wordt afgesloten voor bedragen van *f* 1000,– tot *f* 50000,– per gebeurtenis. Bij openluchtevenementen wordt meestal één

uur voor de aanvang gemeten; dan beslissen de bezoekers meestal of ze zullen komen.
De regenverzekering kan in principe ook gebruikt worden als reclamemiddel. Zo loofde een textielwinkelier een keer aan alle klanten de terugbetaling van het aankoopbedrag uit als het op tweede paasdag flink zou regenen. Zijn stunt liet hij verzekeren. Er is lange tijd een hotel geweest dat een deel van de prijs van een arrangement terugbetaalde als het regende. De Nederlandse Spoorwegen hebben verzekerde dagtochten gehad naar Zandvoort. Als het regende bij aankomst kreeg de reiziger contant zijn reisgeld terug plus een kop koffie. Ondanks alle spectaculaire kanten aan de regenverzekering kan deze assurantie voor organisatoren van kostbare openluchtevenementen een uitkomst zijn.

Regen, storm of hagel, de bloemencorso's gaan altijd door. Eventuele schade kan worden gedekt door de regenverzekering.

Weer en bouwnijverheid

Het vorstverlet toonde al aan hoe belangrijk het weer is voor de bouwnijverheid. Van 1 november tot 1 april geeft het KNMI een telefonische weerberichtgeving t.b.v. de bouwnijverheid. Nederland is voor deze berichtgeving verdeeld in 4 rayons die elk een eigen telefoonnummer hebben. Op die nummers worden in de loop van een dag vijf verschillende weerberichten doorgegeven. In België geeft het KMI samen met het Wetenschappelijk en Technisch Centrum voor het Bouwbedrijf in dezelfde periode als in Nederland speciale weerberichten voor de bouw uit. De Belgische berichten zijn niet alleen telefonisch verkrijgbaar maar worden ook via de radio verspreid. Nederland en België gebruiken nagenoeg dezelfde zes weerfasen-coderingen in het bouwweerbericht. Die fasen zijn in grote lijnen: zacht weer, geen vorst,

Rechts: *wegmarkeringen kunnen alleen onder zeer bepaalde weersomstandigheden worden aangebracht.*

Aantal mandagen vorstverlet bij Bredero's bouwbedrijf Nederland

Jaar	*Mandagen vorst-verlet*	*Totaal gewerkte mandagen*	*% vorst-verlet*
1968	661	234 349	0,28
1969	2759	268 759	1,02
1970	2741	316 252	0,86
1971	2916	279 398	1,04
1972	2302	283 927	0,81
1973	677	263 951	0,25
1974	156	247 334	0,06
1975	409	199 408	0,20
1976	1392	170 294	0,81
1977	183	198 454	0,09

geringe vorst, matige vorst, strenge vorst en zeer strenge vorst.
Veel werkzaamheden zijn, als er enige voorzorgsmaatregelen worden getroffen, bijna altijd uitvoerbaar. Zo kan beton tot –7 °C worden gestort. Teneinde te weten welke maatregelen getroffen moeten worden, zijn metingen noodzakelijk. Op steeds meer bouwwerken treffen we daarom een thermometerhut aan (voor temperatuurmetingen). Soms is het instrumentarium uitgebreider; zo kunnen er bijvoorbeeld ook metingen worden verricht m.b.t. de windsnelheid.
Er zijn ook werkzaamheden die nog zeer sterk van het weer afhankelijk zijn. Zo kan een wegmarkering alleen bij droog weer worden aangebracht. Zowel voor verf als voor thermoplastisch materiaal geldt dat het wegdek echt droog moet zijn. Er zijn proeven genomen met het kunstmatig droogmaken van de weg, maar de produktiesnelheid bleek zeer aanzienlijk te dalen. Het is ook wenselijk dat het warmer is dan + 5 °C, anders droogt het materiaal niet snel genoeg. De invloed van het weer blijkt wel uit het volgende: van 1 maart tot 30 november (ca. 190 werkdagen) rekent men in de bouwnijverheid op 161 werkbare dagen. In die periode kunnen er echter maar op 110 dagen wegmarkeringen worden aangebracht. Het verschil van 30% wordt veroorzaakt door neerslag!

Veel werkzaamheden zijn mits er enige voorzorgsmaatregelen worden getroffen ook in de winter bijna altijd uitvoerbaar. Zo kan beton tot –7 °C worden gestort.

Weer en tuinbouw

De tuinbouw is zeer gevoelig voor de weersomstandigheden, reden waarom de tuinbouw 'onder glas' in de afgelopen tien jaar een enorme ontwikkeling heeft doorgemaakt. De sterke prijsdaling van computers en de komst van de micro-processor (een miniatuur-computer) maakten het mogelijk dat veel handelingen konden

worden geautomatiseerd. In Nederland en België zijn momenteel al honderden kassen, waarin het klimaat geheel automatisch wordt geregeld door elektronische systemen. In deze gevallen is de tuinbouw dus onafhankelijk geworden van de weersomstandigheden, hoewel de tuinder terdege rekening moet houden met het weer: bij vriezend weer moet er harder worden gestookt, bij harde wind moeten de kassen worden gesloten, enzovoort. Een eigen weerstation geeft (ook weer automatisch) gegevens over het weer door aan het regelsysteem, waarna bepaalde maatregelen in gang kunnen worden gezet.
De onafhankelijkheid van klimaat en seizoenen heeft belangrijke voordelen: gewassen die in ons klimaat niet gedijen, kan men nu in kassen kweken; bepaalde gewassen kunnen het gehele jaar door worden gekweekt, soms kan de produktiviteit worden opgevoerd en vaak kan de kwaliteit worden verbeterd. De foto van de krop sla bijvoorbeeld is gemaakt op Kerstmis 1977 en vormt het bewijs, dat het gehele jaar door verse sla van eigen bodem tot de mogelijkheden behoort.

Boven: *meetapparatuur in een kas.* Uiterst links: *de klimaatregelaar van de tuinbouw, waardoor het bijv. mogelijk is verse sla (links) met Kerstmis opgediend te krijgen.* Onder: *regeninstallaties in bedrijf.*

Dank zij deze gunstige omstandigheden, exporteert de Nederlandse tuinbouw thans voor meer dan vier miljard gulden per jaar: sla, tomaten, groenten e.d. naar alle delen van de wereld.
Het is echter niet zo, dat inmiddels de gehele tuinbouw in kassen is ondergebracht. De tuinbouw 'van de koude grond' bestaat naast de tuinbouw 'onder glas' en is nog even afhankelijk van de weersomstandigheden als voorheen. Dit bleek bijvoorbeeld in 1976, toen Nederland en West-België met grote droogte te kampen hadden. Voor Nederland werd door meteorologen berekend dat een dergelijke droogte slechts eenmaal in de 300 jaar voorkomt, maar dan is de klap voor de tuinbouw van de koude grond wel zeer groot en loopt de schade al gauw in de tientallen miljoenen guldens, een verlies dat veelal moeilijk is terug te verdienen.

In de eerste acht maanden van 1976 viel er in Nederland 28 cm neerslag tegen 47 cm normaal. In het daaropvolgende jaar was de neerslag bij ons weer normaal, maar toen werd de Amerikaanse staat Californië getroffen door de ernstigste droogte sinds mensenheugenis.
Ook zware regenval, hagelbuien en langdurige regenperiodes kunnen de tuinbouw van de koude grond ernstige schade toebrengen. Het weer blijft altijd een grillige factor, waarvan de opbrengst voor een groot deel afhankelijk is. Bij grote droogte kunnen tegenwoordig overigens regeninstallaties worden ingezet. Dit is echter een kostbare zaak, die de prijzen van de landbouwprodukten zeer nadelig kan beïnvloeden.
Maar het is een mogelijkheid om de oogst te redden; een mogelijkheid waarvan de landbouw – door de grotere omvang van het bebouwde land – meestal geen gebruik kan maken.

De tuinder is onafhankelijk geworden van het weer. Bloemen (boven) of uien (onder) kunnen zodoende het gehele jaar door vers worden aangevoerd.

Weer en landbouw

De droogte van 1976 berokkende in Nederland en België veel rundveehouders schade: ze kregen te weinig gras en ruwvoer voor de winter. De aardappeloogst bracht in 1976 per hectare zo'n 20% minder op dan in 1975. De droogte was zo erg dat de BB (Bescherming Bevolking) met pompen hulp kwam bieden en dat er op enkele plaatsen zelfs militairen werden ingezet. Er startte ter leniging van de ergste nood spontaan een welkom initiatief, dat uitgroeide tot een 'Nationale Actie Boerenhulp'.
Nog geen twee jaar eerder was het niet de droogte, maar juist de regen die de boeren trof. In het zuidwesten van Nederland en in België was de oogst in het najaar 1974 erg moeilijk omdat het land te nat was. Ook toen werden militairen ingezet om te helpen. Het probleem was eigenlijk dat de grote en zware machines van de moderne boer in de drassige bodem wegzakten: de automatisering faalde. De schade die de Nederlandse landbouw in het najaar van 1974 leed, wordt geschat op 100 miljoen gulden.
De landbouwopbrengst wordt dus in belangrijke mate bepaald door het klimaat. En niet alleen door het klimaat zoals wij dat kennen (gemiddelden van temperatuur, neerslag, aantal uren zon en wind), maar ook door het zogenaamde microklimaat. Dit wordt gevormd door de omstandigheden die laag bij de grond (dus tussen de gewassen) heersen en deze wijken, vooral wat temperatuur en vochtigheidsgraad betreft, meestal af van de situatie in de hogere luchtlagen. Dit microklimaat werkt het ontstaan en de verspreiding van planteziekten vaak in de hand. In Wageningen wordt het microklimaat dan ook door de Landbouwhogeschool voortdurend onderzocht, omdat de gegevens voor de landbouwmeteorologie van groot belang zijn. Naar aanleiding daarvan zijn inmiddels speciale waarschuwingsdiensten voor de aardappelziekte en voor de schurftzwam ingesteld. De schurftzwam is bijvoorbeeld actief in het voorjaar, maar alleen onder bepaalde omstandigheden in het microklimaat.
Ook de waterhuishouding en de temperatuur van de bodem zijn belangrijk voor de groeiprocessen. Elk gewas stelt specifieke eisen en deze gegevens worden dan ook zorgvuldig door experts bestudeerd om de keuze van de gewassen daaraan te kunnen aanpassen.
Hagel, maar ook (slag)regen kan grote schade aan de gewassen toebrengen. Op de hagel komen we nog terug. Voorbeelden van regenschade geven de jaren 1948 en 1950, toen de tarweopbrengst opvallend schraal was.
Het KMI in Ukkel en het KNMI in De Bilt geven tijdens de suikerbietencampagne, behalve de dagelijkse weerberichten voor

Rechts: *hulp van de BB bij de bestrijding van droogte (1976).* Onder: *militairen assisteren bij het rooien van een bedreigde aardappeloogst.*

land- en tuinbouw, ook nog extra berichten voor de suikerbietenbouw door.
Er zijn nog veel meer relaties tussen landbouw en weersgesteldheid: tijdens een lange vorstperiode kan de bodem tot grote diepte bevriezen, hetgeen veel consequenties heeft voor de gewassen en alles wat daarmee te maken heeft.
Ook de veehouder heeft voortdurend met het weer te maken en wordt geconfronteerd met problemen, waaraan een stadsmens niet zo gauw zal denken. Windstoten hebben bijvoorbeeld een ongunstige invloed op het stalklimaat, zodat bij de bouw van stallen rekening gehouden moet worden met de bebouwing in de omgeving en met de overheersende windrichting. De constructie van de stallen en het te gebruiken bouwmateriaal moeten uiteraard zodanig zijn, dat deze tegen de weersomstandigheden bestand zijn.

PROBLEMEN ROND WATERVOORZIENING IN NEDERLAND

Nachtvorstgevaar

'Heldere nacht met hier en daar nachtvorst'. Een term uit het weerbericht in het voorjaar, die vele fruittelers de schrik om het hart doet slaan. Nachtvorst kan de oogstopbrengst van de fruitteler aanzienlijk verkleinen en zo schuldig zijn aan een flinke teruggang in het inkomen van dat jaar. Nachtvorsttermen worden in het voorjaar en najaar gebruikt als de gewassen vorstgevoelig zijn.

We spreken van nachtvorst wanneer, ten gevolge van uitstraling, de temperatuur in de nacht en vroege ochtend vlak bij de grond tot beneden het vriespunt daalt. Soms vriest het dan op de normale waarnemingshoogte van $1\frac{1}{2}$ meter niet. Bij zware nachtvorst wel! Niet alleen de bodem straalt uit, ook voorwerpen zoals bloemen en bladeren, vooral de scherpe randen ervan. De jonge vruchten zijn het kwetsbaarst, vervolgens de bloesem en het minst de bloem- en bladknoppen. In het algemeen kunnen we zeggen dat er sprake is van nachtvorstschade als de temperatuur gedurende minstens een half uur 2 °C of meer onder nul is geweest. Weerkundig onderzoek heeft aangetoond dat nachtvorst op de ene plaats veel meer voorkomt dan op de andere. Ook blijken sommige fruitgewassen, zoals goudrenetten, veel gevoeliger te zijn voor nachtvorst dan andere, zoals Laxton Suberb. Behalve door de keuze van ras en perceel kan men nachtvorstschade op vele manieren tegengaan:

- door bedekking met glas, kunststof, dun metaal enz.
- door een rij hoge bomen
- door een rookscherm
- door verwarming (verbranding van materiaal tussen de bomen)
- door beregening.

De methode van beregening wordt het

Bloesem in volle pracht; mooi om naar te kijken, maar uiterst kwetsbaar.

Vorstschade maakt koffie weer duurder

RIO DE JANEIRO (AP, UPI) — Kou en storm hebben nieuwe schade toegebracht aan de Braziliaanse koffiegewassen. Een woordvoerder van het Braziliaanse koffie-instituut heeft verklaard dat temperaturen vlak boven het vriespunt maandagnacht veel pas geplante koffiestruiken hebben aangetast. In dit gebied werd in 1975 de koffieaanplant grotendeels door de vorst vernietigd.

De vorstschade van 1975 was een van de belangrijkste oorzaken van de enorme prijsstijging voor koffie van de afgelopen jaren. Sindsdien zijn in Parana ongeveer 350 miljoen nieuwe koffiestruiken geplant. Deze leveren echter pas na twee en een half jaar koffiebonen op.

De berichten uit Brazilië hebben dinsdag op de internationale koffiemarkten de prijzen weer sterk opgestuwd. De noteringen gingen met honderden guldens per ton omhoog.

HET WEER

VERWACHTING
TOT HEDENAVOND:
Droog en in het algemeen
Matige tot vrij krachtig
telijke wind. Maxi
van 14 graden
tot 20

Onder: *een markant voorbeeld van beregening bij nachtvorst.*
Geheel onderaan: *gedeelte uit de Bloesemroute van de* ANWB.

meest toegepast, hoewel het resultaat er een beetje griezelig uitziet met alle ijspegels aan de jonge bloesem. De bescherming zit hem evenwel daarin dat de temperatuur, zolang de besproeiing doorgaat, niet beneden de 0° daalt. Bij het bevriezen van het water komt warmte vrij: de zogeheten stollingswarmte. Zolang er een laagje water op het ijs zit, blijft het mengsel precies 0°. Met de ijspegels beschermt de fruitteler de bloesem dus tegen nachtvorst.

Vaak is er tussen 10 en 20 mei nog een koude-inval met noordelijke winden en met een grote kans op nachtvorst. Deze koudeperiode staat bekend als de IJsheiligen (11, 12 en 13 mei). In België wordt aan de drie Nederlandse IJsheiligen St.-Mamertius, St.-Pancratius en St.-Servatius nog een vierde toegevoegd op 14 mei: St.-Bonifacius.

De kwetsbare bloesem, die ieder jaar weer bedreigd wordt door de nachtvorst, is wel erg mooi om te zien. De ANWB (Alg. Ned. Wielrijders Bond) zette er een route voor uit.

Drinkwatervoorziening

In de laatste dagen van januari 1963 kwam er zout water uit de kranen in de Rotterdamse huizen. Het Rotterdamse drinkwaterbedrijf stond voor een moeilijk probleem: het kon alleen maar water afleveren dat eigenlijk niet drinkbaar was. Het zoute zeewater, dat normaal tijdens eb voldoende werd teruggedrongen, was diep landinwaarts doorgedrongen. De verklaring daarvoor was dat een ijsprop in de Rijn (in die strenge winter!) de doorstroming van het zoete water belemmerde. In mooie termen: 'Ten gevolge van uitzonderlijke klimatologische omstandigheden ontstond er een bijzonder ernstige situatie'. Intussen zat de Rotterdammer zonder redelijk drinkwater. Ten behoeve van zieken werd er al snel goed water gedistribueerd. Restaurants maakten reclame met koffie, gezet met duinwater en een schoenwinkelier gaf een liter water cadeau bij iedere aankoop.

Deze gebeurtenissen, waarbij het weer de drinkwatervoorziening in gevaar bracht, vormden voor Rotterdam aanleiding zich op de situatie te bezinnen. Grondwater kan in Rotterdam niet worden gebruikt (in grote delen van Nederland en België wel), dus is men aangewezen op oppervlaktewater. De Rijn, zo bleek in 1963, was niet altijd betrouwbaar; bovendien werd het Rijnwater steeds ernstiger verontreinigd. Daarom werd gekozen voor het tevens inschakelen van de Maas. Het

Januari 1963: uitdelen van drinkbaar water in een Rotterdamse wijk.

Luchtopname van spaarbekken 'Honderdendertig' in de Biesbosch.

Maaswater wordt in een viertal grote spaarbekkens opgeborgen. Deze spaarbekkens in de Biesbosch zullen voor een groot deel van Zuidwest-Nederland van betekenis kunnen worden. Het aardige is dat de kwaliteit van het water verbetert naarmate het langer in de spaarbekkens staat. Iets van die kwaliteitsverbetering is te zien: men kan vaak tot 5 meter diepte kijken. Een bron van zorg was overigens dat ook de verontreiniging van het Maaswater toenam. Over die zaak werd met België overleg gevoerd.

Veel drinkwater wordt aangevoerd door rivieren, die voor een deel gevoed worden met smeltwater uit de bergen en voor een ander deel (in de zomer!) door regenval in het stroomgebied. Het weer bepaalt zo de beschikbaarheid van drinkwater. Dat is trouwens ook het geval met het grondwater. De grondwaterspiegel daalt en rijst met perioden van droogte en neerslag.

Weer en energie

Nu energie schaarser en duurder blijft worden, wordt de afhankelijkheid van het weer zichtbaarder. Naarmate de temperatuur meer daalt zal er harder gestookt moeten worden. Distrigaz gaf voor de Openbare Gasverdeling in België over 1977 de volgende cijfers: het basisverbruik (het huishoudelijk verbruik), dat onafhankelijk is van de buitentemperatuur, bedroeg 3,2 miljoen m^3 per dag. De stijging van het gasverbruik ten gevolge van verwarming bedroeg 975000 m^3 per dag en per graad Celsius. Dus als er meer dan 3 graden verwarmd moet worden is er al meer gas nodig voor de verwarming dan voor huishoudelijk verbruik. Als het enkele graden vriest zal de verwarming zeker vijfmaal zoveel gas vergen als het huishouden. Uit de grafiek van Distrigaz blijkt ook dat de afname in de winter bijna tienmaal zo hoog is als in de zomer.

Boven: *experimenteel zonnehuis van de Technische Hogeschool in Eindhoven.*
Links: *energie moet vaak ver gezocht en gehaald worden. Hier een beeld van de aanleg van een pijpleiding voor olie van Alaska naar de Verenigde Staten.*

Het KNMI en het KMI stellen, omdat het weer zo'n grote invloed heeft op het energieverbruik, dagelijks verwachtingen op ten behoeve van de energieproducenten. Vooral voor de piekverbruiken is het van belang te weten welk weer het zal worden, om te kunnen voorspellen of zo'n piek is afgevlakt of juist extra groot zal zijn. Een medewerker van het KNMI maakte privé in 1977 verscheidene instanties opmerkzaam op de mogelijke noodsituaties die kunnen ontstaan als de elektriciteit in een vorstperiode uitvalt (denk maar eens aan New York). Veel moderne huizen zijn met centrale verwarming gebouwd; ze hebben geen rookkanaal meer. Als de elektriciteit uitvalt, valt ook de c.v. uit (de circulatiepomp werkt op elektriciteit). De desbetreffende man, F. Emmink, geeft daarom de tip een noodvoorziening in huis te hebben. Omdat zijn schets van de situatie naar ons idee reëel is, geven we de tips door:

- schaf een oliekachel aan
- laat een rookkanaal aanleggen
- koop een butagaskachel met voorraadtank.

Weer heeft niet alleen met energieverbruik te maken, maar ook heel veel met alternatieven die nu druk worden ontwikkeld. Zonne-energie is alleen bruikbaar als er voldoende zon is. Klimatologische gegevens van KNMI en KMI bepalen welke plaatsen in Nederland en België het meest geschikt zijn voor zonnehuizen en zonnecollectoren. Ook windenergie is, vooral aan de kust en misschien op zee, bruikbaar. In Nederland wordt momenteel onderzocht welk type windmolen en generator het meest geschikt is en of windenergie echt een redelijke bijdrage aan de energiebehoefte kan leveren. Bij wind- en zonne-energie is niet alleen de energiebehoefte maar ook de produktiemogelijkheid afhankelijk van het weer. Wat windenergie betreft nog dit: de Brit Michael Willoughby heeft becijferd dat zeilschepen alweer lonend gebouwd kunnen worden omdat de olieprijs zo is gestegen. Hij heeft zelf al een zeilschip van 12000 ton ontworpen en hij voorspelt een geweldige come-back van de klipper!

Windenergie van de toekomst? Als een van de serieuze mogelijkheden wordt deze windmolen gezien, ontstaan op de schetstafel van de Boeing-fabrieken. De toren van dit gevaarte is ca. 60 meter hoog, de lengte van de rotor bijna 100 meter. Het landschapsbeeld van morgen?

Weer en reclame

In ons dagelijks leven speelt het weer een belangrijke rol en de manier waarop wij eten, drinken, ons kleden of gezelligheid zoeken is vaak aangepast aan de weersgesteldheid. Geen wonder dus, dat in veel advertenties het weer als achtergrond wordt gebruikt om het artikel dat aangeprezen wordt, nog begerenswaardiger te doen lijken. Bijvoorbeeld een frisdrank tegen de achtergrond van een zwoele zomeravond of erwtensoep met op de achtergrond een winterlandschap. Op de bladzijde hiernaast staan enkele, lukraak gekozen advertenties waarin het weer een rol speelt.

Ook tussen het weer en de vorm van reclame maken kan verband bestaan. Dit is wel heel duidelijk bij de luchtreclame. Voor het schrijven van reclameteksten in de lucht met behulp van een vliegtuig moet aan twee meteorologische voorwaarden zijn voldaan: een wolkeloze, strakblauwe hemel en geen wind op de hoogte waar het vliegtuig zich bevindt. Aangezien dit vrijwel nooit voorkomt, hebben de bedrijven die zich met deze vorm van luchtreclame bezighielden, hun activiteiten grotendeels gestaakt.

Een andere vorm van luchtreclame, namelijk het slepen van een reclametekst achter een vliegtuig, schijnt nog wel rendabel te zijn, hoewel ook hiervoor bepaalde weersomstandigheden zijn vereist: de wolkenbasis moet op ten minste 400 meter liggen en het horizontale zicht moet zeker 3 km zijn. In Nederland zijn er per jaar ca. 130 dagen waarop dit het geval is. Vooral langs de kust wordt deze vorm van reclame bedreven op warme zomerdagen wanneer de stranden overvol zijn en een zo groot mogelijk publiek getuige van de reclameteksten kan zijn. Ook tijdens sportevenementen wordt van luchtreclame gebruik gemaakt. Op vlieggeschikte dagen worden naar schatting in totaal 15000 vlieguren gemaakt, hetgeen toch nog een jaaromzet van deze van het weer afhankelijke reclameactiviteit van 3 milj. gulden betekent.

WIJ VRAGEN U VRIENDELIJK
WEES VOORZICHTIG MET VUUR
DENK AAN ONZE NATUUR

Het reclame-slepen kan slechts bij bepaalde weersomstandigheden geschieden: de wolkenbasis moet op ten minste 400 meter liggen, terwijl het horizontale zicht zeker 3 km moet zijn.

Nieuw
Claude Cha
Het Holland

Het proces tegen de

Kleurkatern: precies 25 jaar geleden na **Julius** en **Ethel Rosenberg** plaats in de electrische stoel. In VN: het **proces**, de **atoomspionage**, het McCarthyanisme in Amerika. Ook: **Moskouse Jaren 1956-58.** Een Joegoslavisch ambassadeur over het complot tegen Chroeshtsjow.

Vrij Nederland: voor de koude zomeravonden.

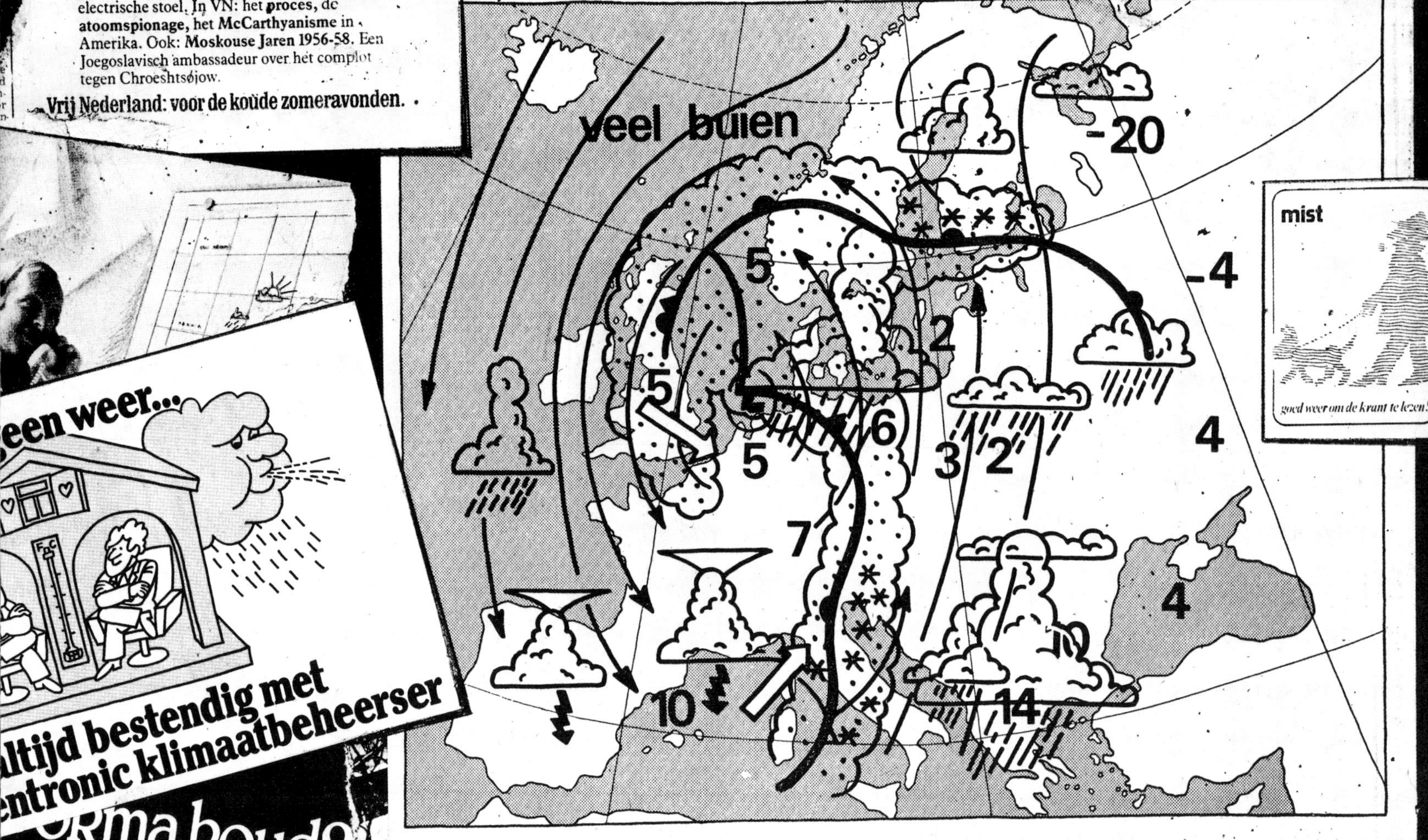

U moet er tóch doorheen.

Het klimaat in ons land is van dien aard, dat er eigenlijk geen rekening mee valt te houden. Hoe slecht 't weer soms ook is, u moet er toch maar al te vaak doorheen. Dat betekent dan wel, dat u helemaal zeker moet zijn van uw auto.

De Volvo 240-serie werd ontwikkeld in Zweden. Een land waar de natuur behoorlijk te keer kan gaan. Vanzelfsprekend dat zo'n auto volledig is opgewassen tegen de nukken van ons vaderlandse weertje.
De uitgebalanceerde wegligging en perfecte bestuurbaarheid maken, dat u de Volvo 240 onder nagenoeg alle omstandigheden onder controle houdt.

Wielophanging, vering en de starre achterasconstructie zorgen samen met staalgordel radiaalbanden voor een perfecte grip op de weg. De directe tandheugelbesturing maakt dat u licht en zuiver stuurt.

Het gescheiden remsysteem volgens het triangelprincipe biedt u de zekerheid van snel, en vooral koersvast remmen. En àls der remcircuits zou uitvallen, dan nòg behoudt u door dit unieke systeem 80% het remvermogen. En zodanig, dat de a volledig bestuurbaar blijft.

Rijden in een Volvo 240 is onder alle w omstandigheden comfortabel. Ventila verwarming zijn volledig regelbaar, z in een aangenaam verwarmde of gek

„...Weet je zéker dat dit de weg is naar Westmins

Leer 'n taal.
En uw vakantie wordt stukken pl

ADVERT

r Beieren:
klimaat
zonnig

Beieren's economie: Periode van mooi weer
Neem deel aan de dynamische economische ontwikkeling van Beieren. 2 voorbeelden uit vele:
1. De groei van het bruto sociaalprodukt ligt in Beieren sedert 1962 boven het gemiddelde in de Bondsrepubliek.
2. Stijging van de ind

Amsterdam, Amstelveenseweg

„Marc wist niet wat hij zag vanochtend,"
zei de grootmoeder met het jochie.
„Het is ook al lang geen winter meer geweest
zei het meisje met de warme stem.
„Kijk 's, voor m'n Spaar-Plus-Rekening,"
zei de grootmoeder met het jochie.
„Komt in orde," zei het meisje met de war
stem. „Jammer dat het weerbericht weer
regen voorspelt."
„Dan gaan we nog vlug even sleeën, hè
zei de grootmoeder met het jochie.
Amro Bank staan aardige m

... hier en daar kans op gladde wegen
door sneeuwval en opvriezing...

Soms is de trein zo gek nog niet.

Weer en kleding

Een Belgische firma vervaardigt doorwerkpakken die in de Nederlandse bouwwereld volop worden gedragen. Op het pak dat in 1978 *f* 99,50 kostte, kan *f* 30,– subsidie worden verkregen. De subsidieregeling is een onderdeel van de maatregelen ter bevordering van het doorbouwen in de winter. In Nederland worden ongeveer 30 000 van deze pakken per jaar verkocht. Dit doorwerkpak is ontwikkeld voor gebruik in de bouw bij winterse weersomstandigheden.

Ten behoeve van skiërs werden de ski-jacks ontwikkeld. Deze ski-jacks worden nu ook gebruikt bij het zeilen, op fiets en bromfiets, of voor een wandeling in de vrieskou.

Weer en kleding zijn ook in het dagelijkse leven niet los van elkaar te denken. Vaak zal het weerbericht bepalen wat we 's morgens aandoen en ook of we paraplu of regenjas zullen meenemen. We hebben dan ook allerlei soorten kleding nodig om ons bij elk weertype zo behaaglijk mogelijk te voelen. Als we voor een paar dagen weggaan, betekent dit: iets voor de kou, iets voor de warmte en iets voor de regen. Het zal duidelijk zijn dat er een directe relatie bestaat tussen kledingindustrie en het weer. Een slechte zomer of een zachte winter hebben niet alleen nadelige economische gevolgen voor deze industrie, maar ook voor verwante bedrijven. Nu we aan het einde gekomen zijn van het onderwerp 'weer en economie', is het wellicht interessant eens na te gaan welke bedrijven *niet* met het weer te maken hebben.

Links: *kleding zoals die wordt gedragen door onder meer de sledenrijders van de noordpool. IJzeren mannen die mede voor de distributie van voorraden zorg dragen (zie ook foto op blz. 53, rechts onder).*
Onder: *bouwvakkers in hun doorwerkpak.*

Weer en transport

Ook het transport van aan bederf onderhevige produkten heeft veel met het weer te maken. Hoe hoger de buitentemperatuur, hoe eerder deze produkten zullen bederven. Bepaalde soorten levensmiddelen moeten zelfs bij een constante (lage) temperatuur worden vervoerd. Vooral gedurende de laatste decennia, waarin steeds meer diepvriesprodukten worden gebruikt, is een speciale tak in het transportwezen ontstaan, die geheel gericht is op vervoer per koelwagen of koelschip. Koelschepen worden met name gebruikt voor het vervoer van zuidvruchten, waarvan de temperatuur niet hoger dan 12 °C mag zijn. Bij vervoer over grote afstand van o.a. vlees vindt het transport in diepbevroren toestand plaats. Kaas, boter, vruchten en groenten worden bij temperaturen van ca. 2 °C vervoerd. Ook bloemen moeten bij lage temperaturen worden vervoerd om fris op de veiling te komen.

De koelruimten zijn voorzien van warmte-isolerende wanden en van installaties die de temperatuur op het gewenste aantal graden houden. De invloed van de buitentemperatuur wordt zo uitgeschakeld. Zonder deze voorzorgsmaatregelen zouden wij geen profijt hebben van de produkten van de moderne levensmiddelenindustrie, omdat het weer, i.c. de buitentemperatuur dit onmogelijk zou maken. Ook in dit geval is er dus weer een duidelijke relatie tussen weer en economie.

Weer en woning

Veel boeken over het weer beginnen met de opmerking dat er over niets anders zoveel wordt gepraat als over het weer. Misschien is dat ook wel zo. In dit boek hebben we eerst willen laten zien hoe belangrijk dat weer is voor onze veiligheid en voor onze economie. Op de komende bladzijden willen we kijken naar de relatie tussen het weer en het leven van alledag: het wonen, werken en recreëren.

Bekijkt u eens de woning bij verschillende weersomstandigheden. Als het vriest moet u hard stoken (of gebruikt de c.v. veel gas), de waterleiding kan bevriezen en de auto wil soms niet starten. Die auto kan trouwens ook problemen opleveren als het vochtig weer is. Ook dan zijn er vaak startmoeilijkheden. Als het vriest of sneeuwt moet u vaak, in onplezierige omstandigheden, de raampjes van de auto schoonmaken. Als het onweert zit u in angst over mogelijke blikseminslagen. Als het stormt vreest u voor de televisieantenne en voor de pannen op het dak. Een lekkend dak zal zich altijd openbaren als er neerslag is, dus als het verre van aantrekkelijk is om op het dak te moeten klimmen.

We proberen steeds meer om onafhankelijk te worden van het weer. De constructie van onze huizen is berekend op een storm, als het huis hoog is en alleen ligt laten we een bliksemafleider plaatsen, als het koud is gaan we het verwarmen en het gebeurt zelfs al in onze landen dat we in de zomer de huizen koelen. We leren omgaan met materialen en bedenken nieuwe foefjes: zonneschermen, dubbele beglazing, spouwisolatie enz. Als we de autoadvertenties moeten geloven, starten auto's tegenwoordig nog in een diepvriesgarage!

Natuurlijk is er veel verbeterd, maar onafhankelijk van het weer zijn we allerminst geworden. Hoe vaak hebt u iets uitgesteld omdat het regende?

Weer heeft invloed op onze huizen. Een simpele manier om de kou buiten te houden, is het huis met plastic te bekleden (rechts). Vaak echter is beschermen minder eenvoudig, zoals bij de geglazuurde stenen (midden), die slachtoffer werden van de vorst of het metselwerk (onder), ernstig beschadigd door regendoorslag.

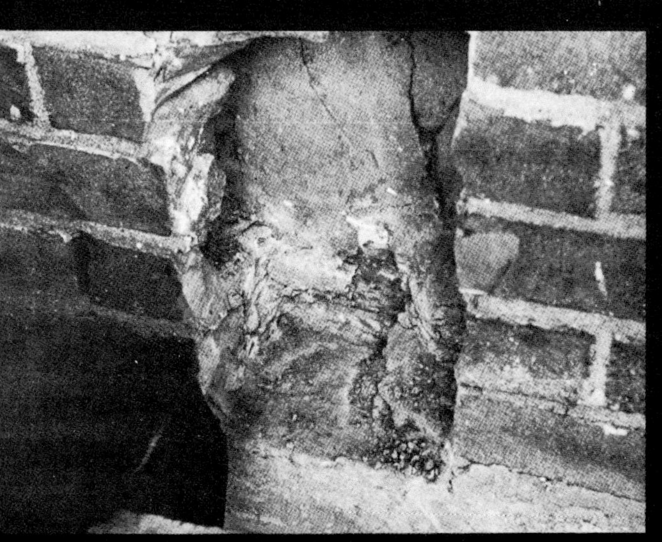

Wijzers van de wind

De windrichting is een indicatie voor het weertype en zo kwam men al in het verre verleden op de gedachte een toestel te construeren dat de windrichting aangeeft, opdat een ieder kon zien of de wind 'in de goeie of in de verkeerde hoek' zat.
Windwijzers zijn vaak ontworpen in de vorm van een haan (die dan ook weerhaan wordt genoemd). Waarschijnlijk berust het gebruik van de weerhaan minder op de hem in het volksgeloof toegeschreven kracht om met zijn gekraai boze geesten te verjagen, dan wel omdat hij – zich steeds tegen de wind in kerend – de nooit aflatende strijd tegen weerspannigen symboliseert.
Hoe het ook zij, de weerhaan siert niet alleen kerktorens, maar ook allerlei andere gebouwen om ons te vertellen uit welke hoek de wind waait. Ook andere, soms unieke vormen van windwijzers vertellen ons dit verhaal en op deze bladzijde is een kleine selectie uit de vele mogelijkheden gegeven.
Een windwijzer op windmolens of een windvaan op zeilschepen is in onze ogen misschien wat functioneler. De molenaar moet namelijk de stand van de wieken aan de windrichting aanpassen en de zeiler zal steeds de windrichting in de gaten houden opdat hem de wind niet uit de zeilen wordt genomen.
De hoeveelheid windwijzers verschilt sterk van plaats tot plaats. In Limburg trof de auteur heel weinig windwijzers aan, in Noordbrabant en in Utrecht heel veel. Ook blijkt er een duidelijk patroon te bestaan. Waarschijnlijk bepaalt de dorpssmid welke windwijzers er op boerderijen komen. Zo treffen we soms een ruiter op een paard aan (Westbroek) en dan weer een vis (ten Z.O. van Utrecht). In St.-Nicolaasga (Fr.) schonk de loodgieter een fraaie, zelf ontworpen windwijzer bij bouwwerken die hij gegund kreeg.

Windwijzers, u ziet het op deze bladzijden, zijn er in alle maten en variaties; van de meest ingewikkelde composities tot de simpelste haan. Eén windwijzer ontbreekt hier en toch komt zij het meest voor: de koe. Zij immers staat altijd met haar achterste in de wind!

Weer en sport

In veel gevallen is een bepaalde sport alleen mogelijk bij bepaalde weersomstandigheden. We hoeven alleen maar aan de elfstedentocht te denken, hoewel de schaatssport als zodanig minder afhankelijk van het weer is geworden omdat er steeds meer kunstijsbanen worden aangelegd. Ook de skisport is niet meer voor 100% afhankelijk van natuurlijke sneeuwval. Op enkele plaatsen wordt in de winter op kunstmatige wijze sneeuw gemaakt door koud water onder hoge druk in de lucht te spuiten. Door het plotselinge drukverlies bij het verlaten van de spuitmond koelen de waterdruppels af tot enkele graden onder nul en bevriezen dan tot sneeuwvlokken. Een sneeuwkanon kan 1000 liter water per uur omzetten in kwalitatief goede sneeuw. Voor Nederlanders, die niet te ver van huis willen gaan om op 'natuurlijke' wijze de wintersport te beoefenen, behoren de Belgische Ardennen tot de mogelijkheden.

Veldsporten zijn eveneens afhankelijk van het weer. Bij vorst, hevige regen of mist zijn de velden onbespeelbaar en moeten de wedstrijden worden afgelast. Dit was o.a. het geval in 1978, toen het wereldkampioenschap hockey in Argentinië moest worden uitgesteld wegens hevige regenval. Maar ook als een veld nog net bespeelbaar is, kan het weer van invloed zijn waardoor het aantal toeschouwers met sprongen naar beneden kan gaan. De grasmat kan voor duizenden guldens schade oplopen als onder ongunstige weersomstandigheden toch wordt gespeeld. Bovendien heeft het weer ook invloed op de prestaties van de spelers en dus op de uitslag van een wedstrijd. Vooral bij sportwedstrijden bepaalt het weer spelvreugde en kijkgenot. Maar ook voor de individuele sportbeoefenaar is het weer een maatstaf voor het plezier, dat hij aan zijn sport beleeft.

In de wielersport kan een regenbui wegen gevaarlijk glad maken. Bij klassiekers zijn er vaak grote temperatuurverschillen tussen het begin en het einde van de race. In de 'Tour de France' heeft een hittegolf al menigmaal voor tientallen uitvallers gezorgd en een coureur de dood ingestuurd.

Vissers hebben het liefst windstilte, dan zien ze iedere beweging van de dobber. Zo hoopt de schaatsliefhebber op koude, de zwemmer in het buitenwater op warmte, de zeilenthousiast op een matige tot vrij krachtige wind, de zweefvlieger op thermiek, de atleet op windstilte of een

Kees Verkerk trainend in zwembroek tijdens een zeer 'warme' winterdag.

In zijn weersverwachting voor de Belgische TV geeft Armand Pien berichten voor een groot aantal sporten. Daaronder valt ook het wildwaterkano, vooral populair in de Ardennen.

Links: *12 februari 1956. IJszeilwedstrijden op de schaats op Het Zwet (Wormer).* Onder: *traditionele verkoeling voor de matadoren in de Tour de France.*
Links onder: *Gert Bals (Ajax) verheft zich uit de modder van het veld van Fenerbahce. Datum: 28 november 1968, uitslag: 0–2.*

heel klein beetje windvoordeel en de wegcoureur op een droog wegdek. En voor de kajakvaarder op de rivieren in de Ardennen is de neerslagverwachting weer van groot belang, want zij kunnen hun sport niet beoefenen bij lage waterstanden.
Zo kan iedereen voor zijn eigen favoriete sport, of het nu valschermspringen of paardrijden, korfballen of vissen betreft, invullen hoe belangrijk het weer is.

Weer als inspiratiebron

Het weer heeft grote invloed op onze stemmingen en het is dan ook niet verwonderlijk dat juist de gevoelige kunstenaar het weer als motief of entourage voor zijn werk kiest. Vooral in de schilderkunst vinden we hiervan talloze voorbeelden. Op veel doeken bepaalt het weer de sfeer van het schilderstuk. Een landschap bij zonneschijn biedt een volkomen ander beeld dan hetzelfde landschap bij een somber weertype. Veel schilders hebben dit zo treffend weten vast te leggen, dat wij bij het kijken naar een dergelijk schilderstuk eerder het weer dan het afgebeelde landschap, stads- of bosgezicht ervaren.
De impressionisten waren de eersten, die er met hun schildersezel op uittrokken om buiten te gaan schilderen en het geziene rechtstreeks weer te geven, waarbij het weer hun werk in grote mate beïnvloedde. Lichtwerking en de sfeer in de natuur waren voor hen belangrijke gegevens. Een zeegezicht vertelt ons veel van de grimmige strijd die de mens tegen de elementen moet voeren en een ijstafereel kan ons doen verlangen naar een winter vol sneeuw- en ijspret. Allemaal voorbeelden van de suggestieve kracht die uitgaat van het weertype, dat op een schilderstuk is uitgebeeld.
Van Gogh schilderde zijn meest optimistische werken in Arles, waar het klimaat hem inspireerde tot het schilderen van zonnige landschappen, vol licht en beweging.
Maar niet alleen in de schilderkunst, ook in de muziek vinden wij het thema van het weer terug. In de zesde symfonie van Beethoven *(De Pastorale)* horen wij duidelijk het onweer en Haydn bracht in zijn *Jahreszeiten* eveneens klimaat en weertype tot uitdrukking.

Het fregatschip 'Neptunus' in de storm, een aquarel van J. Spin (1841).

'Gezicht op Delft' van Johannes Vermeer (1632–1675).

Humeur en gezondheid

Het weer heeft een onmiskenbare invloed op ons humeur: een zonnige dag zal de mensen eerder vrolijk stemmen dan een mistige, druilerige dag. Het weer heeft ook invloed op onze prestaties, op ons werk. Waar het erg warm en vochtig is, is de omgeving minder geschikt om in te werken. Het voorgaande klinkt wel aannemelijk, maar is het ook te bewijzen? Jazeker, en wel op verschillende manieren.
Mensen die de invloed van het weer op de gezondheid bestuderen zijn biometeorologen. Deze wetenschapsmensen hebben ontdekt dat we ons het prettigst voelen bij een huidtemperatuur van ongeveer 25 °C. Als het erg veel kouder wordt, gaat ons lichaam reageren: we gaan huiveren en we krijgen kippevel. Als de temperatuur erg veel hoger wordt gaan we zweten. De verdamping van het zweet vergt extra energie die aan het lichaam wordt onttrokken. Dit proces, het afvoeren van een overschot aan energie door te zweten, werkt alleen als de relatieve vochtigheid laag is. Als de omstandigheden echter te ongunstig worden kan oververhitting (zonnesteek) het gevolg zijn. Er is direct gevaar bij 45 °C en 10% relatieve vochtigheid, maar ook bij 35 °C en 40%, 30 °C en 60% en 27 °C en 100%.
In de Verenigde Staten sterven gemiddeld 175 mensen per jaar aan de gevolgen van grote hitte. Ten tijde van een hittegolf kan dat aantal aanzienlijk hoger zijn. Zo werden er 1401 doden geteld bij de hittegolf van 1952 in de VS.
Bij warm en vochtig weer worden we loom, maar ook prikkelbaar. De politie houdt er rekening mee dat er dan meer misdaden voorkomen en ook dat de kans op relletjes groter is. De hoge temperaturen kunnen ons indirect bedreigen: denk maar eens aan de botulisme-epidemieën, die Nederland de afgelopen zomers bij warm weer hebben geplaagd.

Er is ook intensief gezocht naar de relatie tussen het aantal zelfmoorden en het weer. Er blijkt geen direct verband met wind of temperatuur te zijn, maar volgens sommige onderzoekers wel met de passage van kou- of warmtefronten. Als fronten passeren komen er aanzienlijk meer zelfmoorden voor. Zo zijn er talloze invloeden aangetoond: sommige atmosferische condities blijken bevallingen op te wekken, kleine kinderen worden onrustig op dagen met stormachtig weer en geesteszieken reageren op uiteenlopende weerssituaties.
De beroemde streekgebonden winden zo-

Rechts: *een groep uitgetelde mensen tijdens een hittegolf in New York.*

als de chinook, de föhn, de zonda, de bora en de mistral blijken grote invloed op de mensen te hebben. De winden die worden veroorzaakt door de plaatselijke topografie kunnen mensen depressief, agressief of angstig maken. Opmerkelijk is dat in Zürich al 8 uur voor de föhn begint een duidelijke stijging van het aantal ruzies en verkeersongelukken te constateren is.
Het weer heeft een directe relatie met veel ziekten, zo komt bronchitis opvallend veel in Engeland voor. Ook astmapatiënten voelen zich duidelijk beter bij bepaalde weersomstandigheden. Het eerste dat patiënten die aan weersgevoelige ziekten lijden zouden moeten doen is informeren waar ze, op grond van het klimaat, zouden kunnen gaan wonen. In de Verenigde Staten gebeurt dit al, omdat in dat land vele klimaten beschikbaar zijn. Het Amerikaanse klimatologische centrum ontvangt nu 1300 aanvragen per jaar van patiënten die willen verhuizen omdat ze ziek zijn. Van die 1300 aanvragen betreft 21% reumatiek, 17% astma, 12% bronchitis, 8% hartklachten en allergieën en andere ziekten de rest. Veel mensen kunnen een verhuisadvies krijgen, maar omdat verhuizen ingrijpend en kostbaar is, moet dat advies wel meteen goed zijn.
Reumatiek wordt beïnvloed door sterke afkoeling en plotselinge hitte. In Nederland en België komen de meeste sterfgevallen bij hartpatiënten voor in januari en februari: flinke afkoeling is dan de aanleiding. In voorjaar en zomer hebben velen last van hooikoorts: vanaf 1977 worden zelfs hooikoortsverwachtingen via de radio uitgezonden.
Veel mensen kunnen weerssituaties voorspellen. Vooral mensen bij wie een been of arm geamputeerd is, blijken erg gevoelig te zijn. Bijvoorbeeld het geval van Claus Thurkow, een Duits soldaat die op het einde van de Tweede Wereldoorlog, in 1945, zijn rechterarm verloor. Gedurende vijf jaar registreerde Thurkow de pijnen die hij voelde. In dezelfde periode hield een meteoroloog gegevens over het weer bij. De twee reeksen gegevens werden met behulp van een computer gecombineerd. Het resultaat, vastgesteld zonder enige twijfel, was dat dalende luchtdruk die binnen 24 uur een minimum zou bereiken en grote regenkansen, pijn veroorzaakten. Er werden verder pijnreacties vastgesteld bij koufronten, regenbuien en onweerswolken.
Het onderzoek naar het verband tussen weer en gezondheid staat nog in zijn kinderschoenen. De komende jaren zullen we voor vele ziekten leren bij welke weerssituaties ze het meest voorkomen.

Windmolens

In tijden dat de techniek nog niet zo ver ontwikkeld was als thans, waren windmolens noodzakelijk voor het verrichten van veel werkzaamheden: o.a. voor het bemalen van polders, het malen van graan, het zagen van hout e.d. De verschillende soorten windmolens hebben één kenmerk gemeen: ze zijn afhankelijk van de wind. Ze worden namelijk aangedreven door de windkracht, die wordt omgezet in mechanische energie.
Het verdwijnen van veel molens is in 1923 aanleiding geweest tot de oprichting van de vereniging 'De Hollandse molen'. Een gevolg hiervan is geweest dat veel molens zijn gerestaureerd en als monument behouden blijven. Het interessantste molencomplex in Nederland is ongetwijfeld dat van de 19 molens bij Kinderdijk. Overigens zijn deze molens nog geheel berekend op hun taak. Zij worden in 'maalvaardige toestand' gehouden om in geval van nood de functie van de elektrische gemalen over te nemen.
Ook sommige graanmolens zijn nog in gebruik, maar eerder om toeristen te trekken dan om het gemalen graan dat zij leveren. Hoewel hun functie dus veranderd is, blijven molens voor het Hollandse landschap een niet weg te denken kenmerk.

2

1

3

4

Enige voorbeelden van het Nederlandse bezit aan windmolens. Foto 1: de Rijn-en-Lek-molen bij Wijk bij Duurstede, de enige molen die op een stadspoort is gebouwd. Foto 2: een tjasker in Friesland. Foto 3: de Kinderdijk, poldermolens vlak bij elkaar. Foto 4: rad van het Zaanse molentje 'De Hadel'. Foto 5: wipmolen met gekleurd bovenhuis. Foto 6: poldermolen bij Baambrugge. Foto 7: stenen bovenkruier bij Gorinchem. Foto 8: de beroemde Zaanse Schans. Foto 9: standerdmolen in Moergestel. Foto 10: berg- of belt-molen in Vessem. Foto 11: een achtkante binnenkruier bij Schermerhorn.

5

6

7

8

9

10

11

Weer als spelbreker

Bij weer en sport zagen we al dat veel sportevenementen afhankelijk zijn van het weer. Ook bij andere openluchtactiviteiten kan het weer als spelbreker optreden. Toen de Engelse televisie enkele jaren geleden in het hartje van Rotterdam een muziekkorps wilde filmen vroor het, zodat de muzikanten hun instrumenten niet konden gebruiken. De opname werd toen in de hal van het Centraal Station gemaakt. Organisatoren van openluchtevenementen zullen altijd proberen om het weer te negeren, om te doen alsof ze de regenbui niet zien. De bezoekers blijven echter weg en het is voor de organisator te hopen dat hij een regenverzekering heeft afgesloten. Bij andere sportwedstrijden, zoals autoraces en wielerwedstrijden ontstaan gevaarlijke situaties als het parcours glad wordt ten gevolge van neerslag. In dergelijke gevallen is het weer niet alleen spelbreker, maar ook onheilsbode.
Het 'weer als spelbreker' kent iedereen. Een dagje uit of een vakantie kan letterlijk

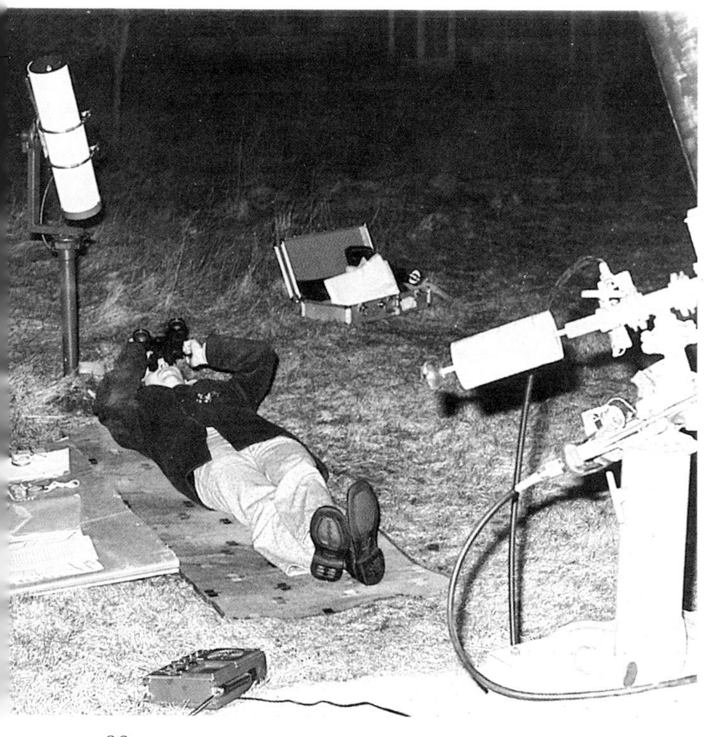

De foto's op deze bladzijden geven enkele voorbeelden van het spelbreek-effect van ons klimaat. Voor alle duidelijkheid: de foto geheel links toont een amateur-sterrenkundige, die voor zijn hobby uiteraard sterk afhankelijk is van een onbewolkte hemel.

in het water vallen. In onze landen is het weer nu eenmaal geen betrouwbare factor, zodat het verstandig is een alternatief te hebben voor een vrije dag of voor gebeurtenissen die buitenshuis zijn gepland. Voor bepaalde evenementen is dit echter niet mogelijk. Koninginnedag in Nederland en de Nationale Feestdag in België gaan altijd door, weer of geen weer. Het is dan echter wel een verschil of de zon of de regen daarvan getuige is.

Soms staan er zulke grote belangen op het spel dat er geen risico wordt genomen. Bijvoorbeeld lanceringen van raketten worden vaak ten gevolge van het weer uitgesteld. Vooral nadat de Apollo 12 tijdens de lancering door de bliksem werd getroffen is NASA in dit opzicht extra voorzichtig geworden.

Voor sterrenkundigen en amateur-sterrenkundigen is het weer vaak spelbreker en dan hoeft het niet eens te regenen of te sneeuwen. Als er bewolking is kan de astronoom zijn kijkers niet op de sterren

richten. Deze reeks voorbeelden kan op een eindeloze manier worden vervolgd. Een aardig spelletje om te spelen met uw kinderen op een regenachtige dag: schrijf 10 voorbeelden op van 'weer als spelbreker' die ons gezin het afgelopen jaar meemaakte.

Met een speciale techniek maakte de Kodakfabriek in Rochester (VS) opnamen van hemel en horizon. Deze vier voorbeelden demonstreren hoe fraai en wisselend die hemel is.

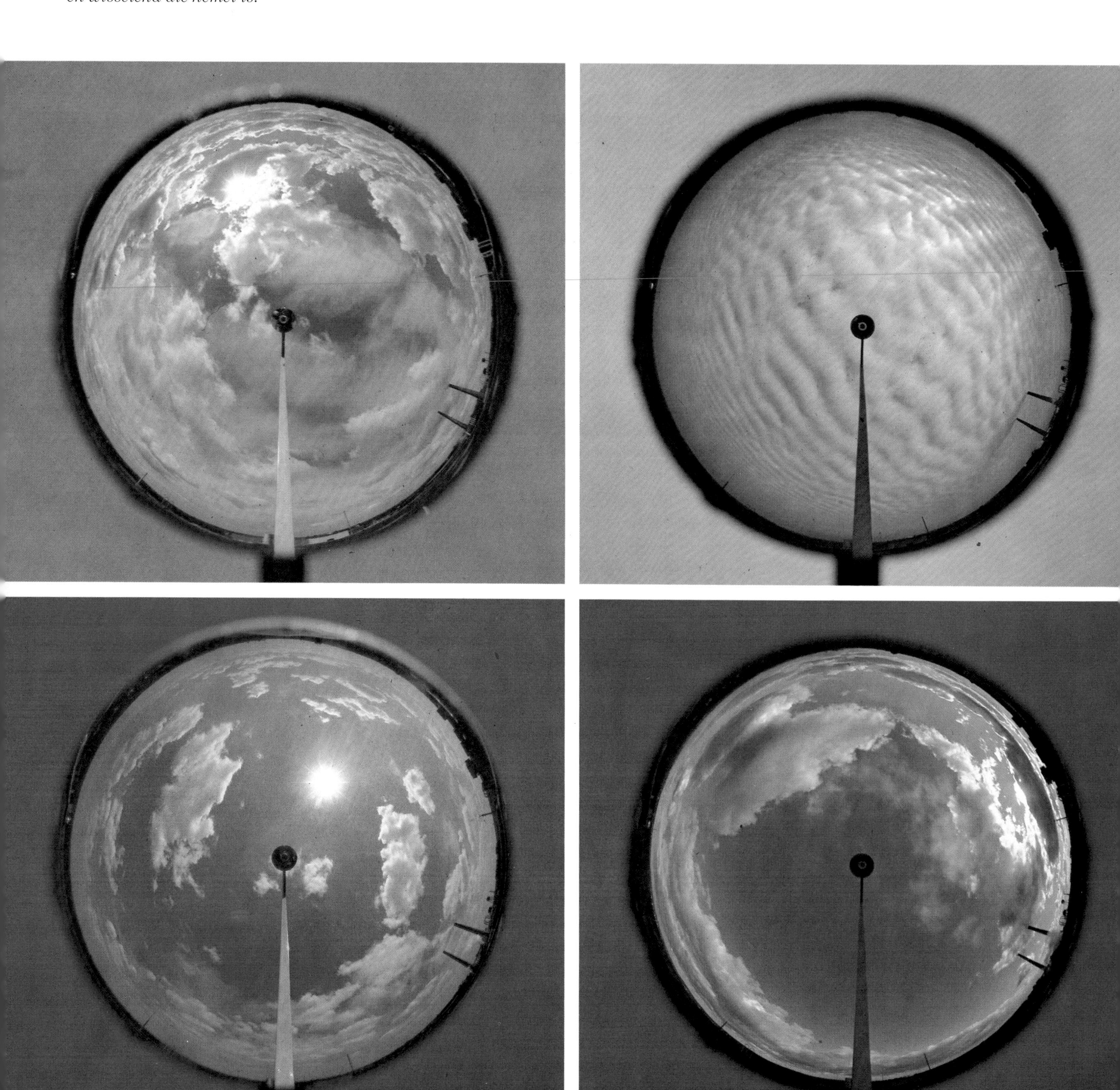

Weer en fotografie

Als het een dag heeft gesneeuwd in Nederland of België gaan talloze mensen foto's en dia's maken. De ontwikkelcentrales krijgen daarna in enkele dagen tijd duizenden extra films aangeboden.
Sneeuw is een van de meest geliefde motieven voor de fotoliefhebber. Andere weersomstandigheden worden vrijwel niet gefotografeerd. Zo bestaan er heel weinig foto's van een flinke storm, wel van de gevolgen van de storm: de schade aan bomen en huizen. Regenbogen worden ook gefotografeerd, maar vaak met een lens die niet de *hele* regenboog kan afbeelden. Voor dit boek bekeek de auteur vele duizenden weerfoto's. Daarbij bleek dat de fotograaf toch meestal wacht op goed weer. Trouwens, als het echt slecht weer is, is er minder licht zodat het fotograferen dan moeilijker is. De fotograaf zal vaak een ander (een 'sneller' of 'gevoeliger') filmpje kiezen als het weer niet zonnig is.

In een fotoblad vroeg de auteur, voor gebruik in dit boek, opnamen van perfecte kwaliteit van extreme weerssituaties. Enkele van de vele ontvangen foto's werden geplaatst; drie ervan staan op deze bladzijde.

De prijsfoto's op deze bladzijde zijn van J. Nijhof, links, J. Lubberts, boven en J. van den Bos, geheel boven.

Weer en boek

In een boek over het weer mag het kopje *Weer en boek* niet ontbreken. In talloze boeken speelt het weer een belangrijke rol. Soms bepaalt het weer de gebeurtenissen, vaak is het weer de inspiratiebron. We geven vier willekeurig gekozen voorbeelden.

'De Kaapse zomer is heet en mooi, de mooiste kaap ter wereld; de Kaapse winter is een kreng. 's Winters word je gestriemd door koude regen en drijft de zuidenwind de grote stormen landinwaarts; de zee met zijn machtige rollers wordt verraderlijk en dan is het er de Kaap der Stormen'. Zo begint *Kaap der stormen* van John Gordon Davis, een uitgave van Omega Boek/Nieuwe Wieken te Amsterdam.

Bij Elsevier verscheen de elfde druk van *Poolbasis Zebra* van Alistair Maclean. Hoewel Zebra een weerstation is, is het boek een avonturenroman waarin het weer een grote rol speelt. Een citaat: 'Na de warmte van de *Dolfijn* leek de kou afgrijselijk en binnen vijf minuten stonden we allemaal te rillen en te klappertanden. Het was volkomen donker, de wind begon weer aan te wakkeren en voerde bij elke venijnige uitschieter een dunne, scherpe sneeuwjacht aan.'

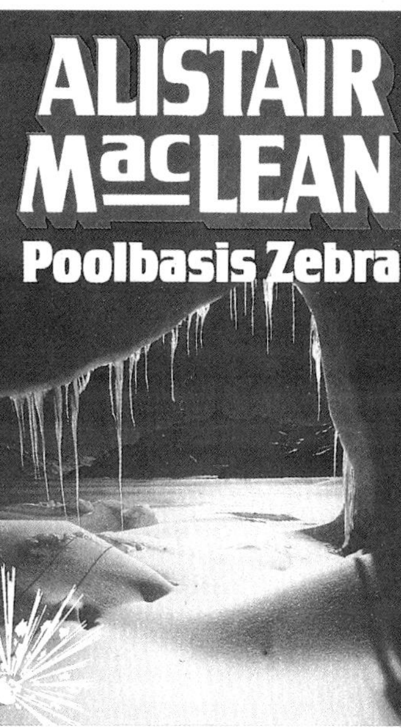

Van Uitgeverij Het Spectrum is het boek van Frederick Marryat *Schipbreuk, leven als Robinson Crusoe*. In het begin van dat boek, waaruit hier een illustratie is afgebeeld, spelen stormen een grote rol. De stormen worden op een fraaie manier beschreven. De stormen bepalen de gebeurtenissen.

Het *Boek van de maand,* uitgegeven in september 1974 door de Commissie voor de Propaganda van het Nederlandse Boek, bevatte verhalen en versjes voor kinderen van 4 tot 12 jaar. In enkele speelt het weer een grote rol zoals in *Meester Pompelmoes wordt een wolk.*

Meester Pompelmoes wordt een wolk *door Hans Andreus*

Meester Pompelmoes stond graag voor de klas, maar hij vond het ook fijn om in zijn eigen achtertuintje te liggen. Als het aardig weer was natuurlijk. En dan had hij er ook plezier in om naar de wolken te kijken. Daar zag hij bergen en reuzen en leeuwekoppen en hele kastelen in en soms zelfs een tafel of een rare stoel. En als hij maar lang genoeg keek, dan was het net of hij zelf een wolk werd, daarboven drijvend in de lucht.

Op een vrije middag lag hij weer op een luchtbed in z'n tuintje. Z'n bijzondere huisdieren waren er ook: Joachim de Geleerde Kater zat wijs voor zich uit te staren op het terrasje, Gerrit de Tuinkraai zat in een boom te krassen en de De Fleurige Hond lag ergens onder een struik.

En Meester Pompelmoes keek omhoog naar de wolken en wolkjes die beschenen werden door de zon. En opeens was het alsof hij zélf een wolk wás geworden, zo'n licht en los gevoel kreeg hij. Maar nee, het was niet alsóf: het leek

169

Duivenvluchten

In *de Volkskrant* van 26 augustus 1977 stond het bericht dat er een half miljoen postduiven waren zoekgeraakt in een periode van enkele maanden tijd. De volgende morgen ging de cartoon van Wibo hierover. Volgens het bericht was het verlies aan duiven nog nooit zo groot geweest. Oorzaak: slechte weersomstandigheden. Hoewel er bij het lossen van de duiven terdege rekening werd gehouden met de weersverwachting, bleken zich onverwacht veel extra storingen op de vluchtroute te hebben voorgedaan.

In de winter blijken er grotere verliezen op te treden dan in de zomer. Dit komt niet omdat de duif niet tegen de lagere temperatuur kan, maar omdat het oriëntatievermogen nadelig wordt beïnvloed door de temperatuur. De grootste verliezen voor korte-afstandsvluchten treden op in maart en april, hoewel vluchten uitgevoerd bij echt hoge temperaturen ook rampzalig kunnen zijn. Het meest rampzalig is echter als er een onzichtbare temperatuursprong (een inversie) op de route zit.

Wind blijkt de navigatie van de duif nauwelijks te beïnvloeden, maar natuurlijk wel de snelheid, die varieert van 50 tot 110 km per uur. De directeur van het KMI, dr. A. Vandenplas, zelf een groot duivenliefhebber, schrijft echter dat er bij oostelijke en noordoostelijke wind mogelijk wat meer verliezen zijn dan anders.

Duiven blijken zeer gevoelig te zijn voor lucht- en drukverschillen. Het is beter duiven niet te lossen als het zicht minder is dan 5 km. Onweer is om twee redenen gevaarlijk: als een duif een onweersfront passeert kan zij de oriëntatie kwijtraken en de neerslag kan funest zijn. Vaak zijn er grote verliezen als duiven op hun vlucht een onweer passeren. Overigens wachten de duiven meestal het einde van het onweer op de grond af.

Voor het lossen van duiven moet zijn voldaan aan de volgende voorwaarden: goed zicht (geen mist), geen wolken onder de 300 meter (geen stratus), geen onweer of neerslag, wind niet te hard en uit één richting, geen onweersvoorspelling op de vluchtroute.

Een hartverwarmend moment voor elke duivenmelker: lossen en wegwezen!

HALF MILJOEN POSTDUIVEN ZOEK DOOR SLECHT WEER

„... EN WE GAAN NOG NIET NAAR HUIS...”

Strandweer en wadlopen

In de zomer willen miljoenen Nederlanders en Belgen recreatie in de open lucht gaan bedrijven. Als men alleen van plan is naar het bos te gaan, is een algemeen weerbericht voldoende. Als men echter naar het strand wil gaan, dan rijst de vraag of het weer voldoende aangenaam zal zijn om in badkleding (en in toenemende mate naakt) te recreëren.
De kleding die de mens normaal draagt, regelt mede het warmteverlies van het lichaam. Het behaaglijkheidsgevoel van de mens (en daar gaat het om) wordt door een heleboel factoren bepaald: luchttemperatuur, relatieve vochtigheid, windsnelheid, opeenvolging van hete dagen, stof en andere verontreinigingen in de lucht enz. Het KNMI heeft veel onderzoek verricht om na te gaan wanneer weer aan het strand als aangenaam wordt ervaren. In dat onderzoek is bekeken of het strandweer langs de Nederlandse kust van plaats tot plaats verschilt. Daarbij is gebleken dat het in de meeste jaren in het zuiden vaker

Graag uw speciale aandacht voor de foto rechts onder. Strandweer kan ook worden geïmiteerd. Dat ervaren de geestelijk gehandicapte kinderen van de 'Carrousel' in Hoorn dagelijks in hun eigen solarium. Zon, zand en water het hele jaar door!

aangenaam strandweer was dan in het noorden.
Het Waddengebied heeft daarentegen andere aantrekkelijkheden zoals het wadlopen. Bij laag water wordt de oversteek van het vasteland naar een Waddeneiland (vaak van Pieterburen naar Schiermonnikoog) gemaakt. Zo'n oversteek moet altijd onder leiding van een ervaren gids plaatsvinden. Als de goede route wordt gevolgd is de tocht inderdaad te voet mogelijk. De deelnemers lopen soms op het droge zand, maar het komt ook voor dat ze tot hun middel door het water moeten waden. Het zal duidelijk zijn dat ook het weer voor het wadlopen van veel belang is. Bij ruw weer en onweer is wadlopen levensgevaarlijk, bij lage temperaturen is het onaangenaam en bij een noordwestenwind is het vaak onmogelijk vanwege de verhoging van de waterstand.

Tijdens een werkvlucht per luchtmachthelikopter stuitte de auteur op een naaktstrand in de buurt van Breukelen. Deze toevallige ontmoeting leverde een wel zeer bijzondere foto op.

Aantallen stranddagen van de zomers van 1968 t/m 1977 (juni + juli + augustus)

Jaar	*1968*	*1969*	*1970*	*1971*	*1972*	*1973*	*1974*	*1975*	*1976*	*1977*
Waddeneilanden	24	42	35	27	36	51	33	53	55	21
Noord- en Zuidholland	35	42	44	34	31	42	36	50	61	21
Zeeuwse en Zuidhollandse eilanden	36	46	54	40	33	47	31	50	62	26

Als 'STRANDDAG' wordt beschouwd een dag waarop de som van de waarderingen voor de aangenaamheid van het weer voor de ochtend en de middag gelijk of groter is dan 14. Daarbij moet voldaan zijn aan de voorwaarde dat de ochtendwaardering minstens een 6 en de middagwaardering minstens een 7 was. (Schaal 1–10, waarin 1–4 = slecht, 5–6 = matig, 7 = vrij goed, 8 = goed, 9 = zeer goed, 10 = ideaal).

Thermiek: zwevend op de lucht

Thermiek is een toverwoord voor zweefvliegers. Onder thermiek verstaan we een opwaartse beweging van de lucht. De zweefvliegtuigen die zeer licht zijn en geen motor hebben, kunnen dank zij die thermiek hoger komen. De oorzaak van het stijgen van de lucht is verhitting van de lucht aan het aardoppervlak. Omdat de stijgende lucht van het aardoppervlak wegstroomt en de zo ontstane tekorten moeten worden aangevuld, zijn er ook dalende luchtstromen. Boven een zandvlakte zal bij zonnig weer de lucht sterker verhit worden en meer thermiek bezitten dan boven grasland. De kunst van het zweefvliegen is het vinden van de goede thermiekbellen. Zijn die eenmaal gevonden dan klimt de zweefvlieger in een spiraliserende beweging tot hij voldoende hoogte heeft gewonnen om in een glijvlucht naar een volgende thermiekbel te kunnen oversteken. Vaak voelt de zweefvlieger dat hij in thermiek is terechtgekomen. Soms moet hij er lang naar zoeken en als dat zoeken te lang duurt en hij veel hoogte verliest, moet hij landen. Het zal duidelijk zijn dat er in het voorjaar en in de zomer meer verhitting (en dus meer thermiek) te verwachten is dan in de winter. Voorjaar en zomer zijn dus seizoenen voor het zweefvliegen.
Er zijn twee soorten thermiek, natte thermiek in wolken en droge thermiek zonder wolken. Vaak zien we zweefvliegtuigen bij cumuluswolken: die ontstaan door opstijgende lucht, daar is thermiek te vinden. De zweefvlieger moet een grondige kennis hebben van het weer. De langste vlucht is met advies van het KNMI gemaakt. Dat was op 25 april 1972, een grote dag in de geschiedenis van het zweefvliegen. Er zijn die dag niet alleen Nederlandse records gesneuveld, maar ook Belgische en internationale. De belangrijkste prestatie werd geleverd door Hans Werner Grosse, die in een ASW-12 een nieuw wereld-afstandsrecord (rechte lijn, eenzitter) vestigde. Grosse steeg op in Lübeck (Duitsland) en gaf aanvankelijk Nantes (in Frankrijk) als doel op. Tijdens de vlucht bleek hem hoe ideaal de omstandigheden waren. Hij besloot door te vliegen naar San Sebastián in Spanje, maar vanwege de invallende duisternis haalde hij die plaats net niet. Hij landde uiteindelijk na 11 uur en 43 minuten in het Franse Biarritz. De afgelegde afstand was 1460 kilometer.
De uitzonderlijk gunstige situatie op 25 april was ontstaan omdat er een noordoostelijke stroming boven onze omgeving in stand werd gehouden door een hogedrukgebied boven Engeland en een lagedrukgebied boven Noord-Italië. Op een hoogte van 1500 tot 2100 meter was de wind ideaal voor een vlucht in zuidwestelijke richting. De situatie op 25 april was zo ideaal dat hij mogelijk deze eeuw niet meer geëvenaard wordt.
Het wereld-afstandsrecord is de afgelopen 40 jaar herhaaldelijk verbeterd: op 6 juni 1939 vloog de Russin Olga Klepikova 749 km, op 5 augustus 1961 de Amerikaan Dick Johnson 861 km, op 2 juni 1963 legden drie Duitsers (individueel) een afstand van 876 km af, op 31 juli 1964 vloog de Amerikaan Alvin Parker 1041 km en op 26 juli 1970

Met een lange kabel sjort een motorvliegtuig zijn motorloze broeder naar de gewenste hoogte. Daarna kan het betoverende spel met de thermiekbellen beginnen.

vlogen twee Amerikanen 1153 km. Ten slotte, zoals gezegd, Grosse 1460 km. Het record van Grosse is officieel nog niet gebroken, hoewel er al wel grotere afstanden zijn afgelegd bij het vliegen aan één zijde van bergketens. Een record dat erkend wil worden moet echter aan een aantal voorwaarden voldoen, daarom is dat van Grosse nog niet overtroffen. Het record van Grosse is te danken aan een uitzonderlijke weerssituatie. Zweefvliegers noemen die 25ste april 1972 dan ook Sint-Cumulusdag.

Nevenstaande waaghalzen schreven in 1975 historie. Vanaf een 1600 meter hoge berg in Wales gleden deze 'deltavliegers' het dal in en kwamen 6 km verder ongedeerd aan de grond.

Zeilweer

De zeiler heeft eigenlijk voornamelijk met de wind te maken. Regen, bewolking, temperatuur en luchtdruk zijn minder belangrijk voor hem. Bij harde wind is zeilen gevaarlijk, bij windstilte is het onmogelijk. Vooral bij zeilwedstrijden bij weinig wind blijkt dat zeilers die kunnen profiteren van een licht zuchtje wind een goede kans maken op een ereplaats. In onze landen begint zeilen een populaire sport te worden. In veel plaatsen is het al moeilijk om nog een ligplaats in de haven te vinden.

Het KMI geeft van 15 april tot 15 oktober dagelijks een speciaal weerbericht voor de zeilsport op de Schelde en de Noordzee. De rest van het jaar geeft men alleen een verwachting voor het weekeinde voor de binnenwateren. Nederland kent geen speciaal zeilweerbericht. Wel is bekend dat zeezeilers vaak de weerdiensten bellen voor ze zich op zee wagen. Ook is bekend dat zeilers veel belangstelling hebben voor het weer: bij de Teleac-cursus *Wij en het weer* bleek het een belangrijke doelgroep te zijn. Op bladzijde 86 zullen we de windkracht behandelen. Dan zal blijken dat de schaal die we hanteren voor het aangeven van de windkracht op de zeilvaart is gebaseerd.

Tegenwoordig worden zeilschepen alleen nog gebruikt voor de pleziervaart, hoewel we bij 'weer en energie' zagen dat ze misschien terugkomen als echte transportschepen. De zeilschepen als transportschepen bereikten hun grootste volmaaktheid ten tijde van de theeklippers. De thee moest snel worden vervoerd en toen werd dan ook het afstandsrecord van 702 kilometer in één dag gevestigd.

Onder: *skûtsjesilen op de Langweerderwielen.*
Rechts: *luchtfoto van de Loosdrechtse Plassen.*
Rechts onder: *een scherp zeiljacht dat de strijd tegen de wind verloor.*

E

H 2160

Weer in de straat

CIRRUSWEG

Op deze bladzijde ziet u een fotocollage, die een aantal karakteristieke aspecten in beeld brengt van onze betrokkenheid met en onze afhankelijkheid van het weer. Verkeersborden, straatnamen, gladde wegen, wateroverlast en noem maar op. Zelfs het telefoonboek gaat niet aan de meteorologie voorbij, getuige namen als Sneeuwbal, Sneeuwjagt en Regenboog.

IJZEL mogelijk

BIJ VORST

CUMULUSWEG

New York 1888

Ter afsluiting van het deel over wonen, werken en recreëren gaan we terug naar één gebeurtenis: de verschrikkelijke sneeuwstorm die New York in 1888 teisterde. Zaterdag 10 maart 1888 was een warme en zonnige dag in New York. Zondag 11 maart viel er regen, de temperatuur daalde en 's avonds waren alle straten met een ijslaag bedekt. Op maandag 12 maart begon het te sneeuwen en het bleef sneeuwen. Bovendien begon het hard te waaien. Er werden windsnelheden van 80 km/uur gemeten. Velen bereikten die maandag hun werk niet. Terwijl de sneeuw (er viel meer dan 1 meter!) zich ophoopte in de straten, begonnen enkele zwarte dagen. In New York vielen meer dan 200 doden. De politie moest 20 paarden afmaken die met gebroken benen op straat lagen. Op dinsdag begon men (zie de tekening) gaten in de sneeuw te branden om de straten weer sneeuwvrij te maken. Van de foto's die bewaard zijn gebleven publiceren we er een: een straat, volledig bedolven onder de sneeuw: dat is nog eens 'weer in de straat'. Op talloze plaatsen waren de bovengrondse elektriciteitsleidingen vernield. Deze sneeuwstorm werd de aanleiding over te gaan op ondergrondse kabels waarop het weer minder vat heeft.

Weer en oorlog 1

In het jaar 1585 ontsnapten 4000 Spaanse soldaten, dank zij het weer, in het Brabantse plaatsje Empel aan een volledige vernietiging. Empel is een dorp ten noordoosten van Den Bosch en het hoort nu bij die gemeente. Het verhaal voert ons terug naar de bezetting van de Bommelerwaard door Spanjaarden in 1585. In feite vond die bezetting plaats met het oog op de winter: het leger had dan pauze en moest letterlijk overwinteren. Terwijl de Spanjaarden in de Bommelerwaard zaten, kwam Filips graaf van Hohenlohe, generaal van de Hollandse troepen, met een vloot van honderd schepen. Hij stak dijken door en dwong zo de Spanjaarden naar een hoge plaats in het ondergelopen gebied te vluchten. 4000 kwamen er knel te zitten in Empel. Terwijl Hohenlohe voorbereidingen trof de 4000 weerloze Spanjaarden per schip af te voeren, baden de Spanjaarden in kou en regen tot Maria om hulp. Op 8 december, de feestdag van Maria Ontvangenis, kwam die hulp: er stak een noordoostenwind op en de vorst zette vinnig in. Hohenlohe, die vreesde dat zijn schepen op de inundatie zouden invriezen, gaf het sein tot de aftocht. De rillende Spanjaarden waren gered. Deze gebeurtenissen staan afgebeeld op het schilderij *Het wonder van Empel* dat nu nog in het voormalige gemeentehuis in Empel hangt. Tot op heden is Maria de beschermheilige van de Spaanse infanterie.

Dat weer en oorlog veel met elkaar te maken hebben is niet alleen door dit voorbeeld duidelijk. Heel bekend is ook het verhaal van de Armada van 1588. Filips II had in dat jaar een vloot van 130 schepen (met een bemanning van 30000 koppen) uitgerust tegen Engeland. Volgens het gangbare verhaal heeft het weer een beslissende rol gespeeld bij de vernietiging van de Armada. Het voorval zou dus een

Onder: *'Het wonder van Empel', geschilderd door een onbekende meester, herinnert aan de strijd tussen de Hollandse troepen en de Spanjaarden in het jaar 1585.*

perfect voorbeeld voor dit boek zijn. Helaas heeft modern onderzoek uitgewezen dat de historische voorstelling onjuist is en, omdat het verhaal zo belangrijk is, worden hier toch de nieuwe feiten vermeld. De Armada blijkt niet 'vernietigd' te zijn, maar twee-derde van de schepen is teruggekomen in Spanje, zij het dat ze gehavend waren. De beschadigingen waren voornamelijk het gevolg van oorlogshandelingen en pas in de tweede plaats van het weer. Wel is het zo dat slecht weer een grote tol eiste omdat de schepen gedurende de strijd al gehavend waren.

In het leger moet de bevelvoerende officier bij de voorbereiding en uitvoering van operaties rekening houden met het weer. In de militaire instructie worden genoemd: temperatuur, wind, neerslag, bewolking, mist enz. Het leger beschikt ook over een eigen weerdienst. In Nederland is die in de Eerste Wereldoorlog ontwikkeld. Voor 1914 was er hier weinig op dit terrein. In 1918 beschikte de Nederlandsche Legerweerdienst al over 316 waarnemingsstations. In België werd de Meteorologische Wing van de luchtmacht opgericht in 1947. Het leger oefent, ook nu nog, onder alle mogelijke weersomstandigheden.

Een oefenende NATO-*tank in het besneeuwde Duitse landschap.*

Weer en oorlog 2

In de zomer van 1917 hebben de Engelse troepen in Vlaanderen vier offensieven ontketend. Het derde ervan, tevens de derde slag om Ieper, werd sterk door het weer beïnvloed. De gevechten begonnen op 31 juli 1917 en duurden tot 6 november van dat jaar. Kort na het beginoffensief keerde het weer zich tegen de Engelsen. Ten gevolge van zware regenval werd het slagveld een poldergebied, erg moerassig en bomkraters liepen vol water. De oorlog had het afwateringsstelsel en de bemaling van het gebied ontwricht. Soldaten verdronken, transport van materiaal werd onmogelijk. Toen het weer half augustus even opklaarde, ondernamen de Engelsen een nieuwe aanval. Uiteindelijk veroverden ze op 6 november het plaatsje Passendale. Daarmee was de slag ten einde. Balans: de Engelsen waren in het moerassige gebied 800 meter opgerukt en hadden maar liefst 250 000 man verloren.

Met de invasie in Normandië (D-day 6 juni 1944) werd de laatste fase van de Tweede Wereldoorlog in Europa ingeluid. De krijgsverrichtingen werden echter ruw verstoord door een hevige storm die op 19 juni 1944 begon. De Amerikanen hadden direct na de landing voor de kust van Normandië een kunstmatige haven geconstrueerd om zwaar materieel te kunnen aanvoeren. Deze kunstmatige haven, de Mulberry, werd geheel vernield: 800 schepen met 20 000 voertuigen en 140 000 ton voorraden raakten op slag onbruikbaar. De Britse Mulberry werd zwaar beschadigd. Vier dagen was de zeeverbinding tussen Engeland en het continent als gevolg van de zware storm verbroken. Na de vierdaagse storm werden 600 van de 800 schepen weer vlotgetrokken en/of gerepareerd. Het weer heeft voor een angstige vertraging gezorgd, maar het heeft geen beslissende invloed gehad.

Ook op D-day zelf heeft het weer een belangrijke rol gespeeld. Eisenhower had vastgesteld dat de invasie op 5, 6 of 7 juni moest plaatsvinden. In die nachten was er volle maan, gecombineerd met extra laag water. De derde voorwaarde waaraan voldaan moest worden was dat het weer redelijk moest zijn. Het weer was echter zo slecht dat er op 3 en 4 juni ieder uur overlegd werd met legermeteorologen. De Duitsers die een invasie verwachtten, hielden geen rekening met een invasie op een van die dagen omdat hun eigen weersverwachtingen zó ongunstig waren dat het volgens hen uitgesloten moest worden geacht. Amerikaanse en Britse meteorolo-

Oefenen op de schaats als de inundatie bevroren is (mobilisatie 1939).

Bij de invasie in Normandië is het weer een factor geweest van grote betekenis. Zo werd op 19 juni 1944 door een vliegende storm de Amerikaanse 'Mulberry' (kunstmatige haven, zie foto links) volledig uit elkaar geslagen, waardoor meer dan 800 schepen op slag onbruikbaar werden.

gen voorspelden op 5 juni echter een vrij rustige periode van 24 uur. De invasie was toen al uitgesteld van 5 naar 6 juni. Eisenhower nam toen het besluit: het zou 6 juni worden! Eisenhower zelf bleef erg bezorgd over het weer. Hij zei: 'Als het op 6 juni slecht weer is, hebben de Duitsers niets anders nodig om Europa te verdedigen.' In de beschrijvingen van veldslagen komen we volop referenties aan het weer tegen. Zo profiteerde Hitler in het Ardennenoffensief van een laag wolkendek waardoor de troepenbewegingen niet door de Geallieerden vanuit de lucht gevolgd konden worden. Nog een voorbeeld: toen de eerste atoombom op Hirosjima viel was er een perfect zicht en het was bijna windstil. Deze eisen waren tevoren gesteld: de piloot moest het doel kunnen *zien* en de afwijking ten gevolge van de wind moest makkelijk berekend kunnen worden. Deze bom werd afgeworpen van een hoogte van 9 km. Vanaf april 1945 maakte het Amerikaanse leger gedetailleerde weerkaarten van Japan. De meteorologen adviseerden de atoombom in augustus te laten vallen, dat zou de gunstigste maand zijn: 6 augustus zou het gebeuren. Dank zij 'gunstige' weerrapporten ging het inderdaad door! Weer en oorlog: voor een deel is het leger afhankelijk van het weer, voor een deel maakt het er gebruik van. Zo waren tot de Tweede Wereldoorlog de inundaties in Nederland nog van veel belang, maar toen ze bevroren, moesten de soldaten op schaatsen verder. Van de nood kon een deugd worden gemaakt door ijsblokken te gebruiken om een wering te bouwen.

Boven de wolken

We beginnen het weerkundig gedeelte van dit boek met een opname gemaakt vanuit de ruimte. De foto werd genomen door de astronauten van de Apollo 9 in maart 1969, terwijl ze zich op 175 km boven de aarde bevonden. Op de foto staat het gebied van de Golf van Guinea (Afrika).
We zien heel fraai uiteenlopende wolkenpartijen, soms met scherpe begrenzingen.

Windkracht

Wind is de beweging van lucht ten opzichte van de aardc. We zijn gewend aan uitdrukkingen als windkracht 7 of windkracht 8 om aan te geven hoe sterk de luchtbeweging is. De schaal die hierbij wordt gehanteerd is afkomstig van Sir Francis Beaufort, een Engelse schout-bij-nacht. In 1805 ontwierp Beaufort een schaal, daarom de Beaufortschaal genoemd, waarin de wind is ingedeeld in 13 klassen. Windstilte werd aangegeven met het cijfer 0 en orkaansterkte met het cijfer 12. Overigens gebruikten zeelieden ook al termen vóór de Beaufortschaal kwam, zoals koelte, bries en storm.
Tegenwoordig willen we alles in cijfers uitdrukken. Daarom hebben meteorologen afgesproken met welke gemeten windsnelheden de windkracht overeenkomt. De windkracht wordt dan:

Windkracht (Beaufort)	*Windsnelheid (meter per sec.)*	*Omschrijving*	*Meest waarschijnlijke grootste hoogte van de zeegang in open zee*	*Effect op land*
0	0,0–0,2	stilte	0 meter	windstil: rook recht omhoog
1	0,3–1,5	flauw en stil	0 meter	windwijzers bewegen niet
2	1,6–3,3	flauwe koelte	0,2 m	bladeren ritselen
3	3,4–5,4	lichte koelte	0,5 m	bladeren bewegen voortdurend
4	5,5–7,9	matige koelte	1,5 m	stof en papier waaien op
5	8,0–10,7	frisse bries	2,5 m	kleine golfjes op water

Hoe verwoestend de kracht van een orkaan is, wordt met de foto links duidelijk geïllustreerd.
Onder: *De eroderende werking van de wind op het strand.*

indkracht eaufort)	*Windsnelheid (meter per sec.)*	*Omschrijving*	*Meest waarschijnlijke grootste hoogte van de zeegang in open zee*	*Effect op land*
	10,8–13,8	stijve bries	4 meter	grote takken bewegen
	13,9–17,1	harde wind	5,5 m	bomen bewegen
	17,2–20,7	stormachtig	7,5 m	takken breken
	20,8–24,4	storm	10 m	antennes breken af
	24,5–28,4	zware storm	12,5 m	zware schade
	28,5–32,6	zeer zware storm	16 m	verwoestingen
	groter dan 32,6	orkaan	—	zware verwoestingen

In dit overzicht is de windsnelheid uitgedrukt in meter per seconde. We kunnen natuurlijk ook kilometer per uur gebruiken of de *knoop*. Een knoop is 1,852 km/u of 0,51 m/s. Voor windkracht 8 vinden we dan 34 tot 40 knopen of 62–74 km/uur. De hevigste windstoot die ooit op het KMI in Ukkel werd geregistreerd bedroeg 43 m/s. Dat gebeurde tijdens de storm van 13 op 14 november 1940. Voor Nederland en België kan men ervan uitgaan dat aan de kust buiten windhozen hoogstens één keer per eeuw windstoten van 55 m/s voorkomen. In het binnenland, waar de wind door bebouwing en begroeiing wordt afgeremd zal zo'n 45 m/s een uitzonderlijk maximum zijn.

Van de wind willen we niet alleen de snelheid maar ook de richting weten. Als de windsnelheid plotseling sterk toeneemt spreken we van een *rukwind*. Als de windsnelheid duidelijk gaat afnemen spreken we over *luwen*. Als de windrichting verandert tegen de wijzers van de klok in (dus van noord via noordwest naar west bijvoorbeeld) spreken we over het *krimpen* van de wind. Als de windrichting verandert met de richting van de wijzers van de klok mee, spreken we over het *ruimen* van de wind.

Onder: ANP-*bericht van 16 maart 1978: 'Door een hevige storm stortte de gevel van een woonhuis in de Schoolstraat te IJmuiden in en kwam terecht op een daar geparkeerd staande auto.'*

1. Cirrus

2. Cirrocumul

10. Nimbostratus

Wolkenformaties

1. windveren, pluimen, vezelachtig, hoogte 5–13 km, bestaat uit ijskristallen

2. witte, kleine schaapjeswolk, ribbels, hoogte 5–13 km, bestaat uit ijskristallen (bovenste deel van de foto)

3. witte melkachtige sluier, kring om zon of maan, hoogte 5–13 km, bestaat uit ijskristallen

4. grauwe sluier, zon soms nog juist zichtbaar, hoogte 2–7 km, bestaat uit waterdruppeltjes en ijskristallen

5. wit/grijze wolkenbank of -laag, stroken afgeplatte ballen of losse vlokken, hoogte 2–7 km, bestaat uit waterdruppeltjes en soms voor een deel uit ijskristallen

9. Stratus

8. Stratocumu

3. Cirrostratus

4. Altostratus

6. scherpomlijnde stapelwolk, opbollend, hoogte basis 500–2000 meter, bestaat uit waterdruppeltjes

7. buienwolk met grote verticale afmeting, onweer, hoogte 300–2000 meter, bestaat uit waterdruppeltjes en ijskristallen

8. grijze of witachtige wolkenlaag of -banken, soms donkere delen, hoogte 400–2000 meter, bestaat uit waterdruppeltjes

9. egaal grijze wolkenlaag, vlakke onderzijde, soms flarden, hoogte van 110–2000 meter, bestaat uit waterdruppeltjes

10. donkere egaal grijze rafelige wolken met neerslag, hoogte 1–5 km, bestaat uit waterdruppeltjes en ijskristallen

5. Altocumulus

7. Cumulonimbus

6. Cumulus

Wolken en mist

De wolkenplaat zal de lezer helpen de voornaamste wolkengeslachten te leren kennen. Het volgende schema, ontleend aan een boekje van de Volkssterrenwacht Mira in Grimbergen, kan het herkennen wat vergemakkelijken.
Stijgende lucht koelt ongeveer 1 °C per 100 meter af. Het stijgen van de lucht begint meestal doordat de lucht aan het aardoppervlak wordt verwarmd, uitzet en lichter wordt dan de omgevingslucht. Het stijgen zal doorgaan zolang de stijgende luchtbel warmer is dan de omgeving. De lucht die stijgt bevat een vaste hoeveelheid waterdamp. De lucht is aan het begin van de stijging onverzadigd, dat wil zeggen dat ze nog meer waterdamp kan opnemen. De waterdamp die erin zit is onzichtbaar. Koele lucht kan echter minder waterdamp bevatten dan warme lucht. Als lucht dus afkoelt (doordat ze blijft stijgen) dan kan een zo lage temperatuur bereikt worden dat ze verzadigd raakt. Bij verdere stijging zal er waterdamp gaan condenseren. Er ontstaan dan miljarden waterdruppeltjes: er worden wolken gevormd. Wolken worden dus gevormd door condensatie van waterdamp als bij opstijging van lucht de verzadigingsgrens wordt overschreden.
Afhankelijk van de temperatuur waarbij de condensatie inzet worden druppeltjes dan wel ijskristallen gevormd. De wolken boven de 5 km hoogte zijn zo koud dat ze uit ijskristalletjes bestaan. De wolken tussen 2 en 5 km hoogte bestaan vaak uit een mengsel van water en ijskristallen. Heel lage wolken, zoals de cumulus die zich op 300–1500 meter hoogte vormt, bestaan alleen uit waterdruppeltjes.
Mist is in feite een heel lage wolk, een wolk waar we in zitten, een stratuswolk. Mist wordt op dezelfde manier gevormd als wolken: de hoeveelheid waterdamp in de afkoelende lucht wordt te groot om on-

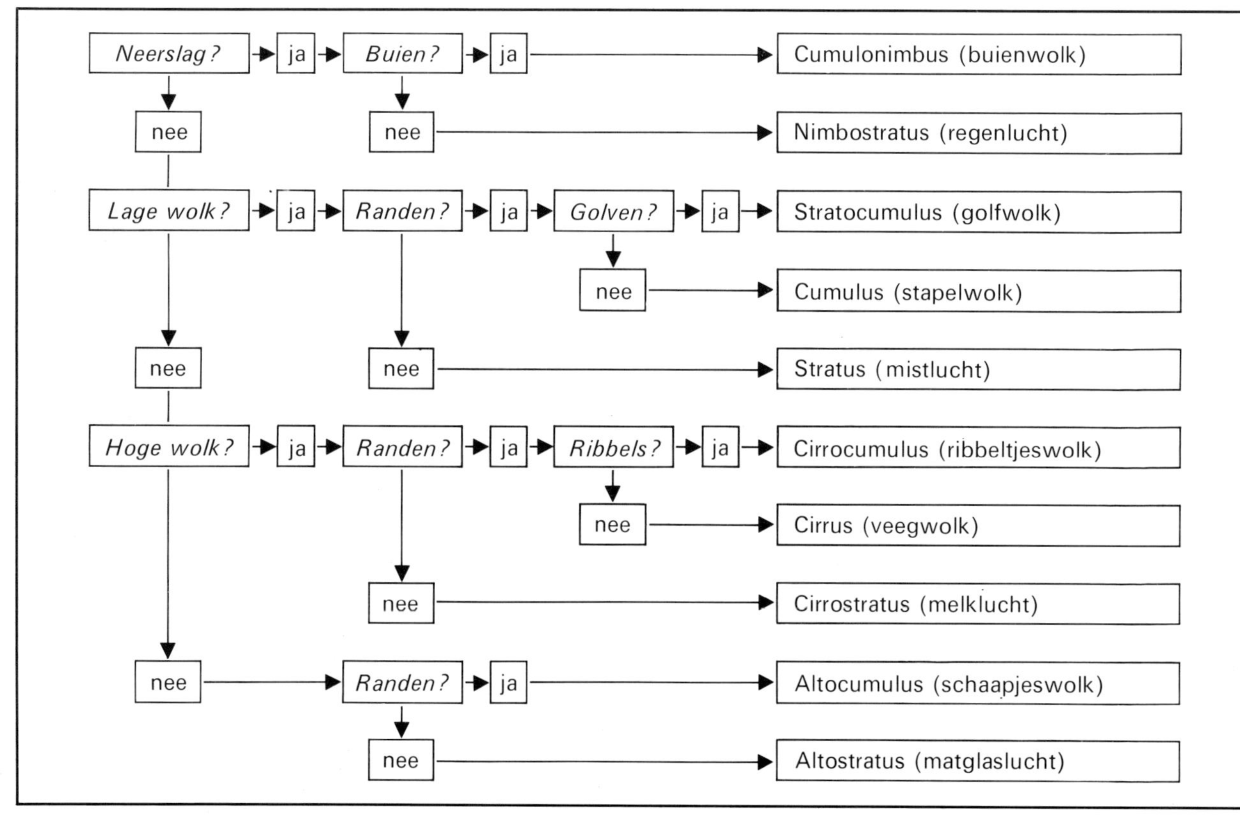

Boven: *wolkenfoto van de VS, vanuit een satelliet gemaakt op 21 februari 1978.*
Rechts: *een mistlaag is vaak erg dun; alleen in de onderste laag is verzadiging van lucht en dus mistvorming opgetreden. De foto werd genomen op 9 oktober 1970 in Amsterdam-Buitenveldert. Op de Schipholweg deed zich op dat moment een ernstige kettingbotsing in dichte mist voor.*

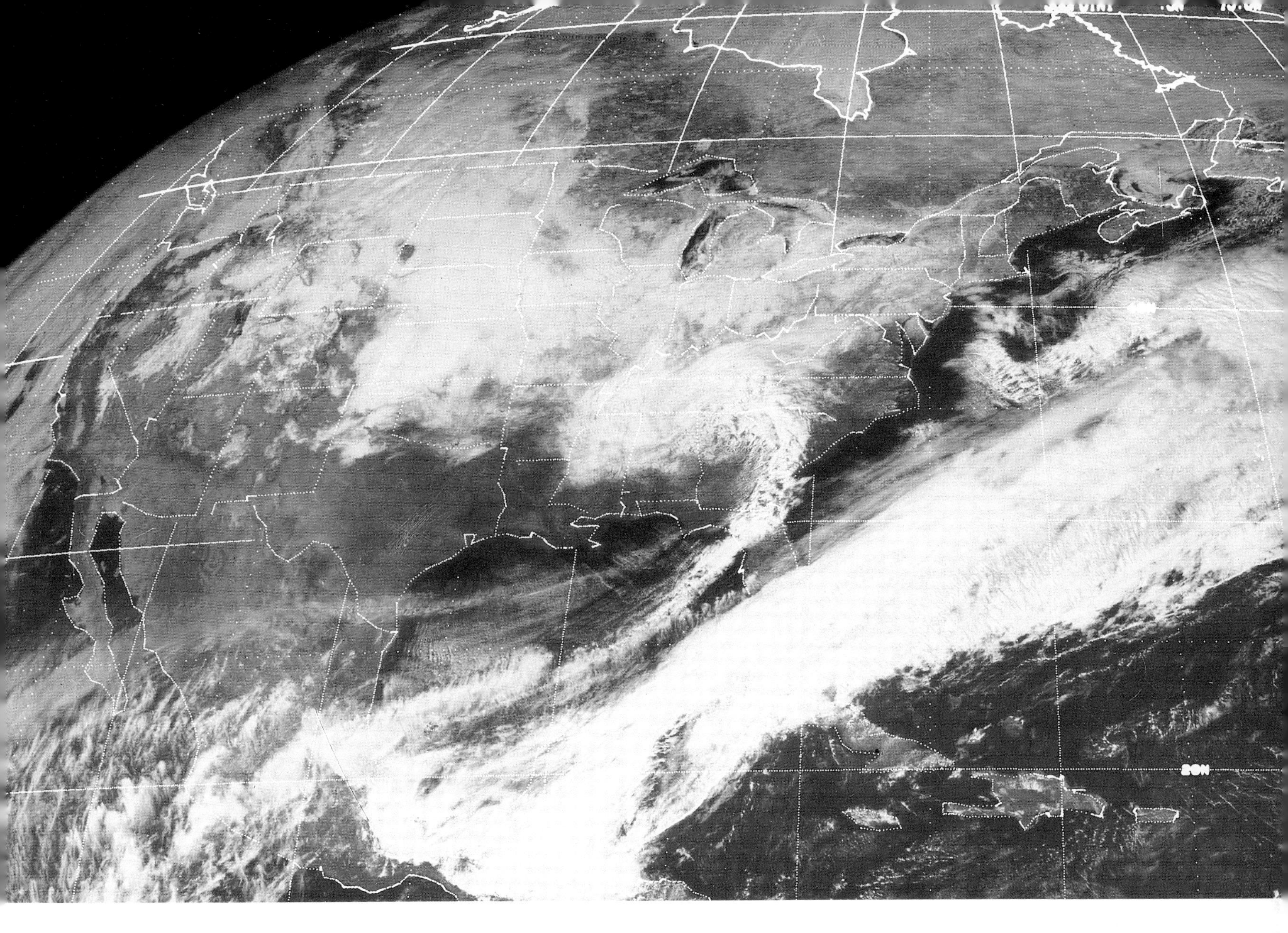

zichtbaar aanwezig te blijven. Dit kan bijv. worden veroorzaakt door het afkoelen van relatief warme en vochtige lucht die van zee naar een koud landoppervlak komt. Mist wordt ook vaak gevormd bij helder en rustig weer. Het landoppervlak en daarmee de lucht in de onderste lagen koelen dan 's nachts zoveel af, dat verzadiging optreedt: de waterdamp in de lucht wordt zichtbaar als mist, als de lucht nog verder afkoelt.

Verkeerswaarschuwingen in Nederland
zicht minder dan 2000 meter: *nevel*
zicht minder dan 1000 meter: *mist*
zicht minder dan 200 meter: *dichte mist*
zicht minder dan 60 meter: *zeer dichte mist*

Verkeerswaarschuwingen in België
zicht minder dan 200 meter: *mist*
zicht minder dan 100 meter: *dichte mist*
zicht minder dan 50 meter: *zeer dichte mist*

Rijp en sneeuw

Rijp en sneeuw horen bij de mooiste weersverschijnselen die de natuur ons te bieden heeft. Het ontstaan van rijp en sneeuw is echter heel verschillend. Alle neerslag begint in de wolken. Rond een condensatiekern, bijvoorbeeld een stofkorreltje, condenseert water tot een zeer klein druppeltje is gevormd. Dat druppeltje bevriest en het wordt een ijskristalletje. Dat kristalletje groeit ten koste van naburige druppeltjes en wordt ten slotte zo zwaar dat het gaat vallen. Bij dat vallen groeit het sneeuwvlokje voortdurend, zodat ten slotte een sneeuwvlok wordt gevormd. Alle neerslag begint zodoende als sneeuw. Als het op weg naar de aarde nergens warmer is dan 0 °C blijft de sneeuwvlok bestaan en bereikt de sneeuw de aarde. Als het op aarde zelf warmer is dan 0 °C krijgen we natte sneeuw, anders droge sneeuw. De sneeuw bestaat uit mooie kristallen die onder een microscoop goed zichtbaar zijn. Rijp is niets anders dan bevroren mistaanslag. Het spiegeltje op bladzijde 69 is bedekt met rijp. De overeenkomst tussen sneeuw en rijp zit in de vorm van de kristallen. Eigenlijk ontstaat rijp op dezelfde manier als ijskristallen in een wolk. Alleen hebben we in een wolk een vrieskern nodig en op aarde een voorwerp waarop de kristallen zich kunnen afzetten.

Boven: *Hollum op Ameland, 13 februari 1966.*
Links: *rijpkristalletjes op kale boomtakken.*
Rechts boven: *'rijp is bevroren mistaanslag'.*
Rechts: *sneeuwkristallen gezien door een microscoop.*

Boven: *Deze foto, gemaakt in een van die immense wouden van Siberië, levert een verrassend aspect op: sneeuw kan zwaar zijn. Zoals u ziet, blijken zelfs volwassen bomen soms niet bestand tegen het gewicht van de sneeuw en buigen door.*

Regen

In Herbestal, België, viel op 24 juni 1953 tijdens twee opeenvolgende onweders in totaal 242 mm neerslag. We weten uit ervaring dat het vaak regent in Nederland en België. De hoeveelheid neerslag wordt meetbaar wanneer er ten minste 0,1 mm valt. Daarvan uit gaan de twee records voor Ukkel sedert 1833: het geringste aantal dagen per jaar met neerslag 153 (in 1921) en het grootste aantal 254 (in 1937). Gemiddeld komt het erop neer dat we toch wel op een van elke twee dagen een beetje regen mogen verwachten.

Regen begint op dezelfde manier als sneeuw: in een wolk ontstaat eerst een druppeltje door condensatie op een kern. Het druppeltje bevriest vervolgens tot een ijskristalletje. Dat ijskristalletje valt en groeit aan tot een sneeuwvlok. De luchttemperatuur langs de valweg is nu echter zo hoog dat de sneeuwvlok smelt: hij wordt

een regendruppel. Als de grondtemperatuur boven nul is valt er gewoon regen. Als de grondtemperatuur onder nul is bevriest de regen tot ijzel. Valt de regendruppel door een luchtlaag met een temperatuur van minder dan 0 °C dan raakt hij

Onder: *hoogwater in Texas, augustus 1923.*

onderkoeld en bevriest op het ogenblik dat hij de grond raakt; ook dat is ijzel. Als de regendruppel op geringe hoogte boven de grond al weer bevriest, spreken we van ijsregen.
De vorming van neerslag is mede afhankelijk van het beschikbaar zijn van condensatiekernen. We zien dat duidelijk in industriegebieden, waar extra wolkenvorming optreedt ten gevolge van plaatselijke verwarming. De industrie veroorzaakt meestal luchtverontreiniging waardoor extra condensatiekernen in de lucht gebracht worden.

Onder: *een buitengewoon geslaagde opname van 'een regenbui op afstand'.*

De regenboog

De regenboog kan een fraai schouwspel opleveren, maar de pot met goudstukken aan zijn voet is nog niet gevonden. Een regenboog ontstaat wanneer het witte licht van de zon uiteengerafeld wordt in de kleuren waaruit het is opgebouwd. We kunnen dat ook doen met een scheef stuk glas (een prisma). Zo zullen we vaak onder geslepen glazen asbakken kleurenbandjes zien. Het witte licht bestaat uit een band van kleuren en zowel glas als fijne waterdruppeltjes zijn in staat het witte licht uiteen te rafelen.
De regenboog wordt gevormd om een middelpunt precies tegenover de zon aan de hemel. Om dat punt komt een boog van 42°. We zien dus de regenboog als we met de rug naar de zon staan en als we kijken naar een wolk waaruit regen valt. Als we op aarde staan zien we altijd maar een stuk van de regenboog, maar vanuit een

DE REGENBOOG.
Wonderbaarlyk en schoon.

Door welke de wereld, die doe was, met het water aer Zondvloed bedekt zynde, vergaan is. Maar de hemelen die nu zyn, en de aarde, zyn door het zelve woord als een schat weeh gelegt, en worden ten vuure bewaart tegen den dag des oordeels, en der verdervinge der godlooze menschen.
2 Petrus III: 6, 7.

Prent, afkomstig uit het boek 'Johannes Luiken 1708'.

Links: *op deze foto, gemaakt vanuit een vliegtuig, zijn twee bijzonnen te zien.*

vliegtuig is de hele cirkel te zien. Bij de regenboog vinden we violet aan de binnenkant en rood aan de buitenkant. Soms is er een tweede boog te zien; die vormt een cirkel van 51° om het tegenpunt van de zon. Bij de tweede boog is er wat de kleuren betreft een tegengesteld effect merkbaar: rood binnen en violet buiten.
Behalve de regenboog bestaat er een groot aantal andere maar minder bekende lichtverschijnselen die door terugkaatsing, breking en buiging in de atmosfeer worden veroorzaakt. Belangrijk zijn de halo's, die we zien als kringen, bogen, zuilen of lichtvlekken. De halo's worden veroorzaakt door ijskristalletjes in de atmosfeer. Een ander bekend verschijnsel is de bijzon: ter weerszijden van de zon op dezelfde hoogte als de zon, boven de horizon staande lichte vlekken, die rood zijn aan de zonnekant.

Karakteristiek voor de regenboog: violet aan de binnenkant en rood aan de buitenkant van de boog.

Hagel

Hagel begint zijn weg op dezelfde manier als andere soorten neerslag. De wolkendruppel bevriest tot een ijskristal, het kristal groeit aan ten koste van omringende druppels tot een sneeuwvlok, die vlok valt en smelt. In het geval van hagel bevriest de gesmolten sneeuwvlok echter weer als hij in de wolk opnieuw omhoog wordt gevoerd. Tijdens het vallen daarna groeit de hagelsteen verder ten koste van onderkoelde druppels en andere sneeuwvlokken. Op die manier kunnen bij herhaling van dit proces heel grote stenen worden gevormd, die daarom ook grote schade kunnen aanrichten. Drie centimeter is een heel gewone afmeting voor een hagelsteen, maar er zijn er ook van 15 centimeter gevonden! Het zal duidelijk zijn dat de grote hagelstenen flinke schade kunnen aanrichten, vooral aan fruit en veldgewassen.
Hagelstenen worden uitsluitend gevormd

in buienwolken met een grote verticale afmeting, op zijn minst enkele kilometers. Ten behoeve van boeren en tuinders probeert men de vorming van zeer grote hagelstenen te voorkomen door extra condensatiekernen in de wolken te brengen. Men beschiet letterlijk de wolk. Vooral in Oostenrijk, Zwitserland, Italië, Frankrijk en de Sovjet-Unie gebeurt dit. Men meent dat men de hagel kan laten vallen voor de stenen kans hebben gekregen tot een fatale grootte te groeien. Vooral in Rusland denkt men dat zo met succes hagel is bestreden. Toch zijn de resultaten in hun algemeenheid nog niet zodanig dat men het probleem als opgelost kan beschouwen.

Links boven: *een hagelsteen van 15 cm.*
Daaronder: *dwarsdoorsnede van een hagelsteen: duidelijk is te zien hoe de steen aangroeide en in lagen is opgebouwd.*
Daarnaast: *hagelschade aan peren.*
Prent links: *uit Johannes Luiken, 1712: 'Ziet, ik zal morgen omtrent deze tijd eenen zwaren hagel doen regenen, desgelijke in Egipte niet geweest is...'*

Bliksem

Bliksem is tegelijkertijd fascinerend en beangstigend. Het wezen van bliksem is sedert 1752 begrepen. In dat jaar deed Benjamin Franklin de beroemde proeven met de vlieger. Tijdens een onweer werd een vlieger opgelaten. Het touw was nat geworden door de regen en daardoor geleidend. Aan het uiteinde van het touw begonnen vonken over te springen. Dit levensgevaarlijke experiment moet u zeker niet nadoen. De kans is groot, dat de vlieger door de bliksem wordt getroffen en dat de ontlading u via het touw bereikt. Bliksem is ontlading van elektriciteit. Wolken kunnen blijkbaar elektrisch geladen worden. Hoe dat kan is nog niet precies begrepen. Wel weten we dat de bevriezing van ijskristallen uit waterdruppels een rol speelt en dat de stromingen in de buienwolk een rol spelen. Als ladingen erg groot zijn geworden, kan de ontlading volgen. Dit proces kan zich afspelen tussen twee wolken en tussen een wolk en de aarde.
De lading die wegstroomt, baant zich een grillig gevormde weg: de ontladingsbuis die wij zien als bliksem. De breedte van die buis is slechts 15 cm, de lengte is meestal enkele honderden meters. In die ontladingsbuis (in de bliksem) lopen stromen van 10000 tot 100000 ampère en komen temperaturen voor tot 25000 °C. Het is vooral ten gevolge van die hoge temperaturen dat wij een felle flits zien. De ontlading duurt minder dan een seconde. De lucht in de ontladingsbuis zet uit ten gevolge van de hoge temperatuur. Dit uitzetten van de lucht maakt het geluid dat we donder noemen. Omdat de ontladingsbuis vaak lang is, horen we meestal niet een klap, maar een rollende donder. Het geluid reist met een snelheid van ongeveer 300 meter per seconde, dus bijna een kilometer in 3 seconden. De bliksem zien we vrijwel meteen, omdat de lichtsnelheid 300000 km per seconde is. We kunnen dus zelf bepalen hoever een onweer van ons verwijderd is door te tellen hoeveel tijd er verloopt tussen het zien van de bliksem en het horen van de donder. Als het onweer ver weg is, horen we de donder niet meer. We zien dan alleen nog het oplichten van wolken in de verte, het weerlicht.

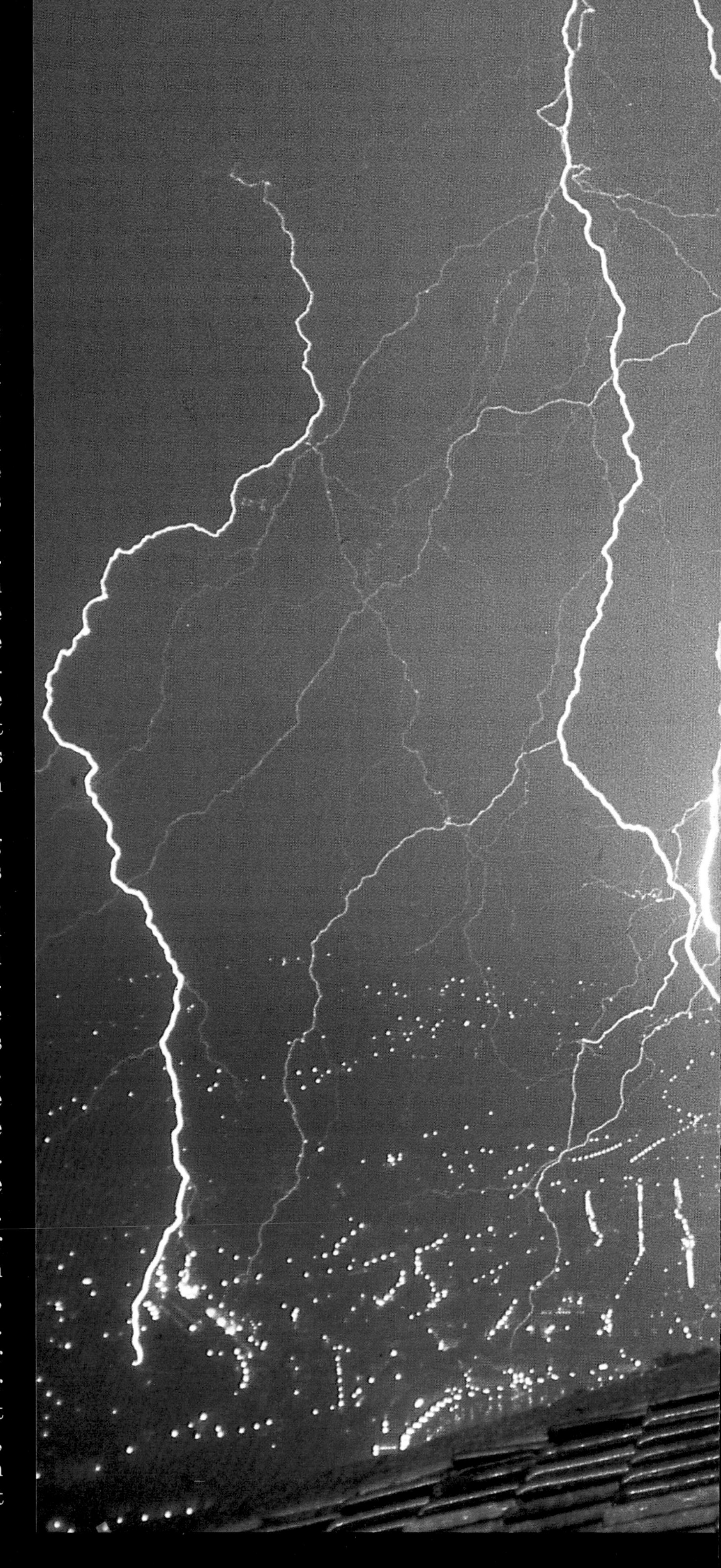

Tornado's

Oostmalle, Tricht en Borculo zijn de bekende kreten voor België en Nederland als het over tornado's gaat. In Oostmalle bijvoorbeeld trok op 25 juni 1967 een tornado een spoor van vernieling. De windhoos ging door het centrum van het dorp, het hart van de Kempen en liet buiten een grote consternatie 117 woningen vernield achter.
We zagen al (op bladzijde 26 en 27) hoe groot de verwoestingen kunnen zijn die een tornado aanricht. Gelukkig zijn tornado's in onze landen zeldzaam. In andere landen, zoals de Verenigde Staten, komen ze veelvuldig voor. In 1973 werden er in dat land 1109 tornado's geregistreerd, in 1974 precies 944. In deze twee jaren vielen 448 slachtoffers bij tornado's in de Verenigde Staten.

Een tornado, dit begrip is van Spaanse afkomst en is waarschijnlijk een assimilatie van *tronada* = onweersbui en *tonar* = draaien, trekt een spoor van vernieling dat gemiddeld 200 meter breed is. Meestal is het spoor niet langer dan 8 km, maar het kan, in uitzonderingsgevallen, 100 km worden. Als een tornado over het water trekt spreken we van een waterhoos. Een tornado is herkenbaar als een donkere slurf die uit een buienwolk naar beneden hangt. Er is geen echt verschil tussen windhozen en tornado's, hoewel dat laatste woord alleen gebruikt wordt voor zware windhozen. Het woord cycloon reserveren we voor tropische wervelstormen,

Links: *een tornado trok letterlijk door de schuur. Ravage in Oostmalle (onder) en Tricht (rechts) nadat beide plaatsen waren getroffen door een tornado (juni 1967).*

waarover meer op de volgende pagina's. Cyclonen komen in onze landen niet voor. Zwaardere windhozen hangen altijd samen met een uitgebreid buiencomplex. Blijkbaar heeft onweer in die wolken invloed op het ontstaan van de windhozen. Meestal bevinden de tornado's zich aan de randen van de neerslaggebieden. In West-Europa komen tornado's vrijwel alleen voor in samenhang met een bijzonder type onweersbui: de zware, snel trekkende bui. Meteorologisch onderzoek heeft inmiddels geleerd dat dit soort bui zich slechts kan ontwikkelen in zeer bepaalde situaties.

Tropische cyclonen

Tropische cyclonen zijn net als tornado's wervelstormen, maar ze zijn heel veel groter. De doorsnede van een cycloon is vaak meer dan 500 km. Ze verwoesten daarom veel grotere gebieden: tot tienduizenden vierkante kilometers toe. In de tropische cyclonen komen windsnelheden van 50 tot 100 m/s voor. De levensduur van een cycloon is ook veel langer dan die van een tornado en kan meer dan één week bedragen. Die grote levensduur en de kleinere verplaatsingssnelheid van de cycloon hebben ook een gunstige kant: ze stellen meteorologen in staat tijdig te waarschuwen voor de komst ervan. Voor de opsporing van cyclonen worden voornamelijk satellieten gebruikt. De tropische cyclonen ontstaan boven tropische zeeën en verdwijnen snel boven land. Bij ons komen ze dus *niet* voor. In de Verenigde Staten gebruikt men de naam *hurricanes*, in Zuidoost-Azië *taifoens* en in Australië *willy-willies*.

Sedert de Tweede Wereldoorlog worden de cyclonen aangegeven met meisjesnamen (militairen en zeelieden prefereerden die boven een code). Er zijn afzonderlijke series voor de Atlantische Oceaan. Voor dit jaar, 1979, is de Atlantische reeks in de volgorde waarin de cyclonen worden ontdekt: Angie, Barbara, Cindy, Dot, Eve, Franny, Gwyn, Hedda, Iris, Judy, Karen, Lana, Molly, Nita, Ophelia, Patty, Roberta, Sherry, Tess, Vesta en Wenda. Sedert 1975 (het jaar van de vrouw) gebruikt Australië ook jongensnamen.

De cyclonen ontstaan als storingen of depressies boven het warme tropische zeewater. Er is een zeewatertemperatuur van minstens 27 °C nodig om een zo diepe depressie te laten ontstaan dat het een cycloon wordt. In het midden van de cycloon vinden we het oog, een gebied van enkele tientallen kilometers doorsnede, waarin het bijna windstil is en de bewolking is gebroken. Meestal zal een cycloonpassage dus in twee delen verlopen. Tussen die delen zit een angstige stilte, als het oog passeert.

Een van de ernstigste rampen vond

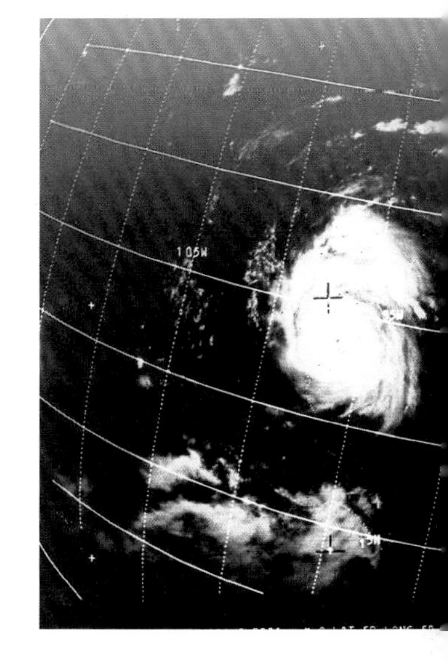

Boven: *satellietfoto van de cycloon 'Beulah' (1967).* Onder: *bezoek van Betsy aan een vakantiekamp (1965).* Rechts: *Amerikaanse stad, getroffen door een cycloon.* Rechts onder: *nationaal waarschuwingscentrum voor cyclonen in Amerika.*

plaats op 12 november 1970 toen 300000 mensen om het leven kwamen ten gevolge van vloedgolven en stormvloeden, veroorzaakt door een cycloon in Bangla Desj. In de Verenigde Staten wordt per jaar een verlies van gemiddeld 450 miljoen dollar geleden als gevolg van tropische cyclonen. Dure uitzonderingen waren Betsy in 1965 en Camille in 1969, die elk 1,4 miljard dollar hebben gekost. Omdat er veel schade wordt geleden en omdat er sinds 1900 al 13000 Amerikanen het leven verloren in cyclonen probeert men sedert 1960 de cyclonen te bestrijden.
Een positieve kant van de cyclonen is dat ze in sommige gebieden voor zoveel regenval zorgen dat de landbouw gedurende vele maanden mogelijk wordt.

Weersbeïnvloeding

Op 18 mei 1977 tekenden 34 landen in Genève een verdrag waarbij o.a. werd geregeld dat opzettelijke weersveranderingen niet als oorlogswapen gebruikt mochten worden. Zo'n verdrag was niet bepaald overbodig, want de Amerikanen hadden al in 1966 met succes regen veroorzaakt om militaire operaties te ondersteunen. In feite is er een aantal proeven op het gebied van weersbeïnvloeding gaande. We noemen:

- Het regenmaken. Dit gebeurt al sedert 1946. Er is in enkele gevallen aangetoond dat er 15% meer regen viel dan normaal, maar in andere gevallen viel er juist 15% minder. Het is zeker dat op beperkte schaal regen gemaakt kan worden door wolken in te zaaien met stoffen als zilverjodide. De regenmakers hebben dit maken echter nog niet onder controle. Van regen op bestelling is nog geen sprake. Bovendien hadden regenexperimenten merkwaardige processen tot gevolg. Sommige mensen waren niet gediend van extra regen, anderen beschuldigden de regenmakers van wolkendiefstal. De wereldmeteo-

Onder: *deze enigszins merkwaardig gevormde wolkenpartij boven de Europoort ontstaat door plaatselijke verwarming.*

rologische organisatie gaat vanaf 1981 in het berggebied bij Valladolid (Spanje) proeven doen met het kunstmatig opwekken van regen.

- Hagelbuien beschieten. Rusland heeft gemeld dat de proeven zo succesvol zijn dat de verliezen met 50 tot 90% zijn gedaald. Andere landen melden kleinere successen.
- De bestrijding van cyclonen. Het is al gelukt tijdelijk de wind in een cycloon te laten afnemen. Men verwacht dat over enkele jaren meer op dit terrein bereikt zal zijn, mogelijk kan de baan van de cycloon worden gewijzigd. Ook bij cyclonen neemt men proeven met het inzaaien met zilverjodide.
- Mistbestrijding. Deze blijkt gemakkelijk te zijn beneden 0 °C. De mist wordt dan ingezaaid met koolstofdioxide of bespoten met vloeibaar propaan, waardoor hij omgezet wordt in ijskristallen die neerslaan. Meestal komt mist voor bij temperaturen boven 0 °C. Bij deze mistsituaties zijn nog weinig successen geboekt. Het is duidelijk dat we wel degelijk in staat zijn weer te beïnvloeden. De Wereld Meteorologische Organisatie WMO waarschuwt echter ernstig tegen deze experimenten. Ze vraagt om niet ondoordacht te experimenteren omdat de gevolgen soms niet te overzien zijn.

Behalve de bewuste beïnvloeding hebben we te maken met de onbewuste beïnvloeding van het weer. Zo veroorzaken de industriegebieden bijv. een extra verwarming en daardoor vaak plaatselijk vorming van stapelwolken. In enkele industriegebieden is al een gemiddelde verhoging van de neerslag aangetoond. De industrieën veroorzaken niet alleen extra wolkenvorming, maar brengen vaak ook condensatiekernen in de lucht. Een fraai voorbeeld van zo'n beïnvloeding bevindt zich op de weg Antwerpen–Brussel, even voorbij Boom. Daar staan altijd bordjes: 'mistvorming mogelijk'. Oorzaak is de daar aanwezige industriële verontreiniging.

Links boven: *het inzaaien van een wolk met zilverjodide. Doel: bestrijding van cyclonen.*

Weer en luchtverontreiniging

Van 5 tot 9 december 1952 was bijna geheel Engeland bedekt met een dikke laag mist. De uitzonderlijk hoge concentratie roet en zwaveldioxide in de lucht had tot gevolg dat er vooral in Londen velen in het ziekenhuis terechtkwamen. En achteraf bleek dat er in deze vijf dagen 4000 mensen méér waren overleden dan normaal in die periode. De luchtverontreiniging had in enkele dagen tijds 4000 slachtoffers geëist. De directe aanleiding voor de ramp was het weer: de mist bleef hangen en de in de lucht gebrachte verontreinigingen werden niet verspreid.

Natuurlijk zal men luchtverontreiniging moeten bestrijden bij de bron: zorg dat er niet zoveel vuiligheid in de lucht komt. Dat heeft men in Londen na 1952 ook gedaan. Maar daarnaast kun je rekening houden met de verspreiding: bouw hoge schoorstenen zodat de verspreiding hoog begint. Let op het weer, want wind en de temperatuuropbouw van de lucht bepalen of de luchtverontreiniging zal worden verspreid.

Om meer te weten te komen over de invloed van het weer op de luchtverontreiniging zal er dus veel moeten worden onderzocht. Gelijk met gegevens over luchtverontreiniging, zoals die in Nederland en België worden verzameld, worden gegevens over de wind verzameld. Om alles nog beter door te krijgen, moet ook hoger in de lucht worden gemeten. Het Rijks Instituut voor de Volksgezondheid meet de verontreiniging met een snuffelvliegtuig. Het KNMI meet sedert 1972 ook iedere 2 minuten op vele hoogten op een mast van 215 meter in Cabauw (gemeente Lopik). Op die mast worden de temperatuur, de windsnelheid en de windrichting, de straling en het zicht geregistreerd. De gegevens worden in een computer gevoerd en automatisch verwerkt. Voor de metingen op grote hoogte worden ook instrumenten op

Links: *de mast van Cabauw (gemeente Lopik). De hoogte bedraagt 215 meter.*
Onder: *met dit instrument wordt op het KMI in Ukkel de samenstelling van lucht en neerslag onderzocht op verontreinigingen.*
Rechts: *de Amerikaanse stad Boulder bedreigd door een vuile, donkere laag.*

bestaande televisietorens geplaatst. Het weer bepaalt de verspreiding van de luchtverontreiniging, daarom is een grondige kennis van alles wat zich afspeelt tot op 200 meter boven de grond onmisbaar.
Enkele keren is aangetoond dat luchtverontreiniging over lange afstanden verplaatst kan worden. Er is al eens rood stof uit de Sahara in Rotterdam gevallen, de meren en rivieren in Scandinavië verzuren 'dank zij' het zwaveldioxide uit West-Europa en koolmonoxide uit het oosten van de Verenigde Staten is aangetoond in Groenland. We schreven hier voornamelijk over het belang van het weer voor de luchtverontreiniging, maar bedenk wel dat luchtverontreiniging ook het weer verandert, en niet ten goede.

Klimaat en klimaatschommelingen

De titel van dit boek is *De mens en het weer*. Onder het weer verstaan we de toestand van de atmosfeer op een bepaalde plaats en een bepaald tijdstip. Als we echter gaan praten over het gemiddelde weerbeeld, dus de gemiddelde toestand gerekend over vele jaren, spreken we over het *klimaat*.

Het klimaat van een gebied wordt bepaald door een aantal zaken zoals de plaats op aarde (dicht bij de pool of dicht bij de evenaar), de hoogte boven het zeeniveau, de ligging ten opzichte van zee of oceaan en de aanwezigheid van bergen. Het klimaat wordt bepaald door de temperatuur, de zonneschijn, de wind, de verdamping en de neerslag. Als voorbeeld geven we de gemiddelde hoeveelheid neerslag in inches (1 inch = 2,5 cm). De zwarte gebieden hebben meer dan 100 inch (250 cm) neerslag per jaar, de witte gebieden minder dan 10 inch (25 cm). Nederland en België zitten in het gebied van 20 tot 40 inch (50 tot 100 cm).

De laatste jaren wordt er steeds vaker gesproken over de mogelijkheid dat het klimaat verandert. Daarom zouden er bijvoorbeeld geen elfstedentochten meer zijn. Nu zijn klimaatveranderingen niet zo ongewoon. Bedenk maar eens dat het hier tijdens de ijstijden veel kouder was; toen heerste hier een ander klimaat. De mensen die zeggen dat het klimaat nu verandert, denken meestal dat er een nieuwe ijstijd op komst is. In feite is er geen reden om dat te vrezen. Trouwens, als het kouder zou worden zouden we juist ieder jaar een elfstedentocht kunnen hebben.

Het is goed mogelijk dat er kleine veranderingen op komst zijn. De ontbossing, de industrialisatie, de uitbarsting van vulkanen, de aantasting van de ozonlaag (met spuitbussen en in mindere mate met supersonische vliegtuigen) en de uitworp van koolstofdioxide kunnen gevolgen hebben die we niet kunnen overzien. Het is zeker dat het klimaat voortdurend kleine wijzigingen ondergaat. Zo is er van 1958 tot 1965 over de hele wereld een gemiddelde temperatuurdaling van 0,3 °C gemeten, terwijl de temperatuur in de meeste gebieden van 1965 tot 1975 weer opliep. De uitbarsting van de vulkaan de Agung in Indonesië in 1963 lijkt te hebben bijgedragen tot de waargenomen temperatuurdaling van 0,2 °C tot 0,6 °C in de tropen en gematigde zones op aarde.

Ook de kleine klimaatschommelingen zijn erg belangrijk. Een gemiddeld temperatuurverschil van 0,5 °C heeft grote gevolgen voor de voedselvoorziening. Daarom heeft men in de Verenigde Staten in 1977 een klimaatbureau opgericht. Dat bureau onderzoekt het klimaat en probeert zelfs de kleinste variaties op te sporen. Het bureau geeft de resultaten meteen door aan de gebruikers die er belang bij hebben: de landbouw, de energieproducenten, de drinkwaterleveranciers. Men vindt dit zo belangrijk dat de kosten van het bureau, 12 miljoen dollar per jaar, geen probleem zijn. De resultaten zijn ook voor andere landen beschikbaar.

Rechts: *deze foto, gemaakt op de zuidpool, toont twee aspecten: de barheid van het klimaat en de lancering van ballonnen, onder meer voor weerkundig onderzoek door het Laboratorium voor Ruimte Onderzoek in Utrecht en voor het* KNMI.
Onder: *een typisch woestijnklimaat; cactussen in Arizona.*

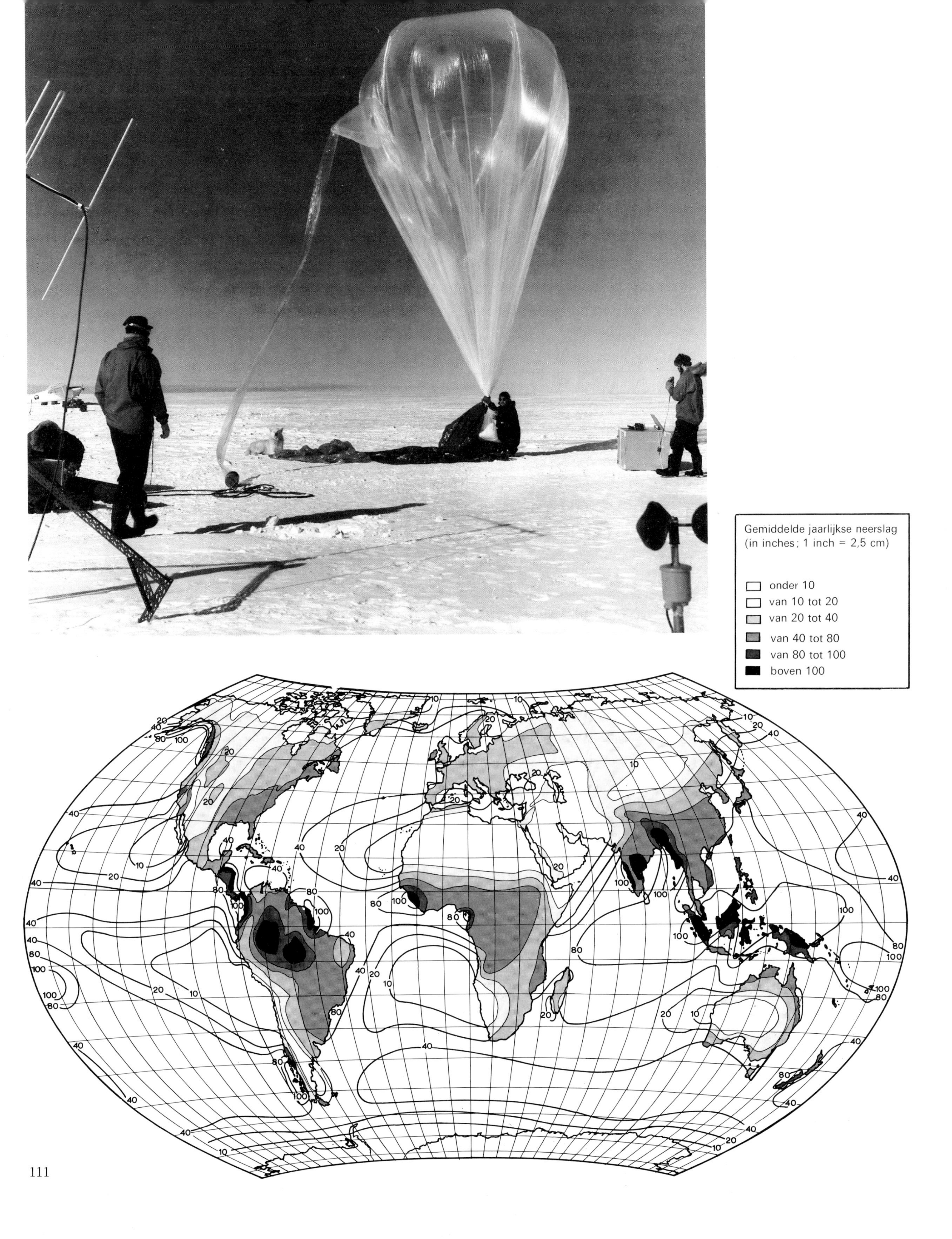
Gemiddelde jaarlijkse neerslag
(in inches; 1 inch = 2,5 cm)
onder 10
van 10 tot 20
van 20 tot 40
van 40 tot 80
van 80 tot 100
boven 100

De kleine IJstijd

De grote schommelingen in het klimaat zijn zichtbaar als de ijstijden. De laatste grote ijstijd bereikte 18000 jaar geleden zijn hoogtepunt. De gemiddelde jaartemperatuur in onze omgeving was toen 10 °C lager dan tegenwoordig. Van 1550 tot 1850 deed zich bij ons de zogenaamde *Kleine IJstijd* voor. De winters in die periode waren strenger dan nu het geval is, maar toch was de gemiddelde temperatuur niet meer dan 1 tot 2 °C lager dan tegenwoordig. Uit de periode van de Kleine IJstijd zijn veel prachtige schilderijen bewaard gebleven; vele ervan zijn afgebeeld in het boek *Koud tot op het bot,* een uitgave van de Nederlandse Staatsuitgeverij naar aanleiding van een tentoonstelling over schilderijen uit de Kleine IJstijd. Een van de schilderijen, een januarilandschap uit 1600 (Vlaamse school), is hier afgebeeld. De kans dat er in de komende eeuw een *grote* ijstijd begint wordt 1 op de 1000 geschat, de kans dat er in de 21ste eeuw een *kleine* ijstijd begint bedraagt volgens de meteorologen 10%.

Het maken van het weerbericht

Informatie over de ontwikkeling van het weer interesseert ieder mens. Er zijn tal van beroepen, denk maar aan de boeren, de horeca of de bouwvak, waarbij het succes van het werk sterk afhankelijk is van het weersverloop. Vandaar dat het weerbedrijf welhaast het belangrijkste onderdeel is van elke meteorologische dienst. Zowel op het KNMI als op het KMI bestaat de hoofdtaak uit het uitgeven van waarschuwingen en het opstellen van verwachtingen. Radio, televisie en pers, landbouw, scheepvaart, luchtvaart en andere klanten willen op elk moment van de dag bijgewerkte informatie hebben. Er worden daarom elke dag tientallen verwachtingen opgesteld. De algemene weersverwachting, waaronder het televisieweerpraatje, is afkomstig uit de weerkamer.

De weerkamer is het hart van het weerbedrijf. Hier zitten meteorologen over kaarten gebogen die de weerstoestand op dat moment en van 3, 6, 9 en meer uur geleden weergeven. Door de weerkaarten met elkaar te vergelijken, ziet de weerman welke ontwikkelingen er gaande zijn en op grond hiervan probeert hij te voorspellen wat er gaat gebeuren. De meteoroloog krijgt wat extra informatie uit satellietfoto's die rechtstreeks uit de ruimte worden ontvangen. En ook laat hij twee keer per dag een ballon met instrumenten op, om iets meer te weten te komen over de weerssituaties boven het aardoppervlak.

Omdat de aarde voor tweederde uit zee bestaat, zijn verder de weerobservaties aan boord van schepen onontbeerlijk. Bijna onophoudelijk krijgt de weerkamer gegevens van honderden schepen toegezonden.

Uiteindelijk wordt de *weersverwachting* opgesteld in de weerbespreking, een discussie van een vijftal meteorologen die onafhankelijk van elkaar verschillende soorten weerkaarten hebben geanalyseerd. Daaraan is het tekenen van de weerkaart, het ontvangen van waarnemingen en het doen van waarnemingen al voorafgegaan. De algemene weersverwachting is dus het resultaat van de weerbespreking. Speciale verwachtingen, zoals weerberichten voor de landbouw, route-adviezen aan schepen, berichten voor het bouwbedrijf enz. worden daarna vaak door een specialist opgesteld.

De belangrijke vraag is natuurlijk: hoe betrouwbaar is de verwachting. In het algemeen blijken het KNMI en het KMI het weer voor een periode tot 36 uur vooruit te kunnen voorspellen met een succes van 60–80%. Een probleem is dat de klant de enkele minder juiste voorspelling onthoudt en daarom vaak onredelijk negatief denkt over de weersinstituten. Het beste

Onder: *een meteoroloog, bezig met het samenstellen van een weerkaart.*

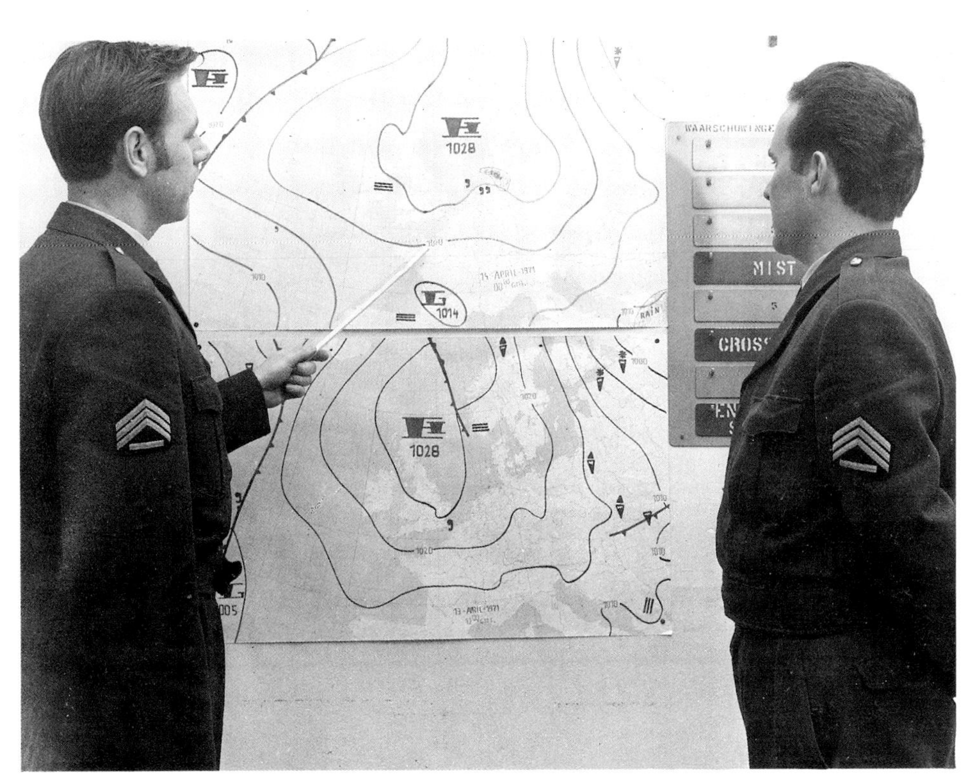

is zelf een keer een maand lang de weersverwachting te toetsen aan het opgetreden weer en dan te oordelen. Het is dan welhaast zeker dat KNMI en KMI vele bewonderende dankbrieven ontvangen na alle minder aardige opmerkingen die ze in het verleden hebben moeten verwerken.

Linksboven: *de telexbatterij van het* KMI *in Ukkel.* Boven: *bespreking van de weerkaart door de weerdienst van de Nederlandse luchtmacht.* Links: *deze foto, gemaakt rond 1900, toont het oplaten van instrumenten op een terrein in Washington, waarop nu 'national airport' is gevestigd.*

Het K(N)MI

Het Koninklijk Nederlands Meteorologisch Instituut (KNMI) werd op 31 januari 1854 op aandringen van prof. dr. C. Buys Ballot opgericht door koning Willem III. Aanvankelijk was het gevestigd op de sterrenwacht 'Sonnenborgh' in Utrecht; in 1897 verhuisde het naar De Bilt. Bij het KNMI werken nu 560 mensen van wie 460 in De Bilt en 100 op vliegvelden en buitenstations.
Het Koninklijk Meteorologisch Instituut in Ukkel werd gesticht op 31 juli 1913, maar sedert 1826 waren op initiatief van A. Quetelet reeds meteorologische waarnemingen op de Koninklijke Sterrenwacht gedaan.
Het werd meteen in Ukkel gevestigd, maar de oorspronkelijke behuizing werd door aanbouw aanzienlijk vergroot. Op het KMI werken thans 150 mensen.
De meteorologische instituten stellen niet alleen weersverwachtingen op. Ze geven ook meteorologische adviezen bij verschillende zaken en ze hebben voor uiteenlopende doeleinden klimaatgegevens beschikbaar. In Nederland zijn sedert 1736 metingen uitgevoerd. Vóór het KNMI er kwam werden die metingen (temperatuur, luchtdruk, neerslag) gedaan in Zwanenburg. De Zwanenburggegevens van 1736 tot 1854 zijn van onschatbare waarde voor tal van klimatologische studies. Om een indruk te geven van de omvang van klimatologische gegevens: in Amerika beschikt

Onder: *het Belgische* KMI *(rechts achteraan) op het terrein waar ook de sterrenwacht van Ukkel is gevestigd.* Rechts: *het* KNMI *in De Bilt.* Rechts onder: *de weerkamer van het* KNMI *met Joop den Tonkelaar, adviseur van dit boek (staande).* Daarnaast: *de weerkamer van het* KMI.

men over een archief van 160 miljoen pagina's waarnemingen en 99000 magneetbanden met getallen die betrekking hebben op het weer in de hele wereld in de afgelopen 100 jaar.
Op de meteorologische instituten in Nederland en België houdt een deel van de mensen zich bezig met de opstelling van weerberichten. Daarbij kan zich een zekere specialisatie voordoen: bouwweerbericht, berichten voor scheep- en luchtvaart, landbouw(weer)berichten, algemene berichten enz. Ook is er wetenschappelijk onderzoek. Dat werk is er op gericht de weersvoorspelling te verbeteren.

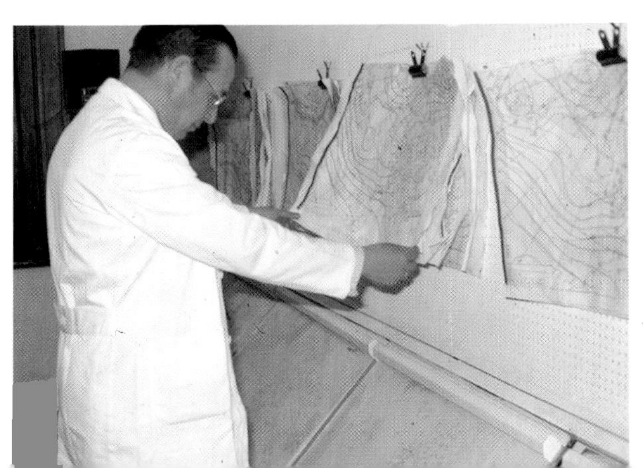

In de weertuin van KNMI en KMI

Enige ingewikkeld uitziende apparaten uit de weertuin.
Geheel links: *regenmeter met automatische registratie* (KNMI).
Links: *adviseur Joop den Tonkelaar bij een thermometerhut* (KNMI).
Onder: *zonneschijnmeter* (KNMI). *Als de zon schijnt werkt de bol als brandglas en brandt een gat in de strook. De hier afgebeelde strook is de registratie van 22 oktober 1976. Zoals u ziet: het grootste deel van de dag scheen de zon!*

Het KNMI en het KMI beschikken over een zogenaamde weertuin, waarin een groot aantal instrumenten staat opgesteld. Internationaal is afgesproken wat, waar en hoe er gemeten moet worden. Zo staan thermometers altijd in een witgeschilderde hut waar doorheen de lucht kan stromen. Deze thermometerhutten zien we ook op bouwwerken en langs autowegen. De windsnelheid wordt op verschillende hoogten gemeten, de meting is alleen van betekenis als er geen hoge objecten in de buurt staan die de windrichting en de windsnelheid kunnen beïnvloeden. Behalve op de weerkundige instituten die met een dergelijke weertuin zijn uitgerust, worden ook op 3500 schepen en 6000 meetstations over de gehele wereld op gezette tijden metingen uitgevoerd. Die metingen vormen de basis voor de weersverwachting. Ze worden doorgegeven en verwerkt in weerkaarten. De basiswaarnemingen aan de grond zijn: luchtdruk, temperatuur, vochtigheid, windrichting, windsnelheid, zicht, wolken en het weer.

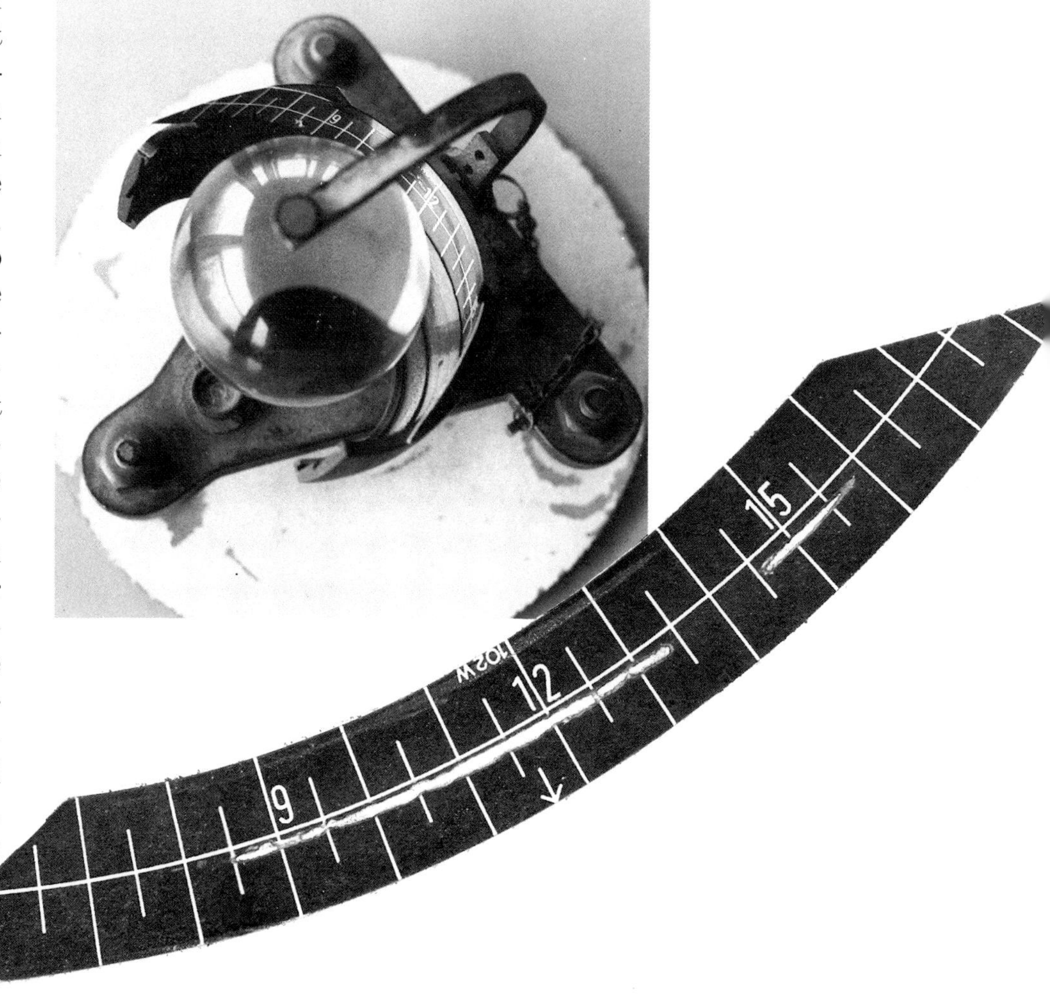

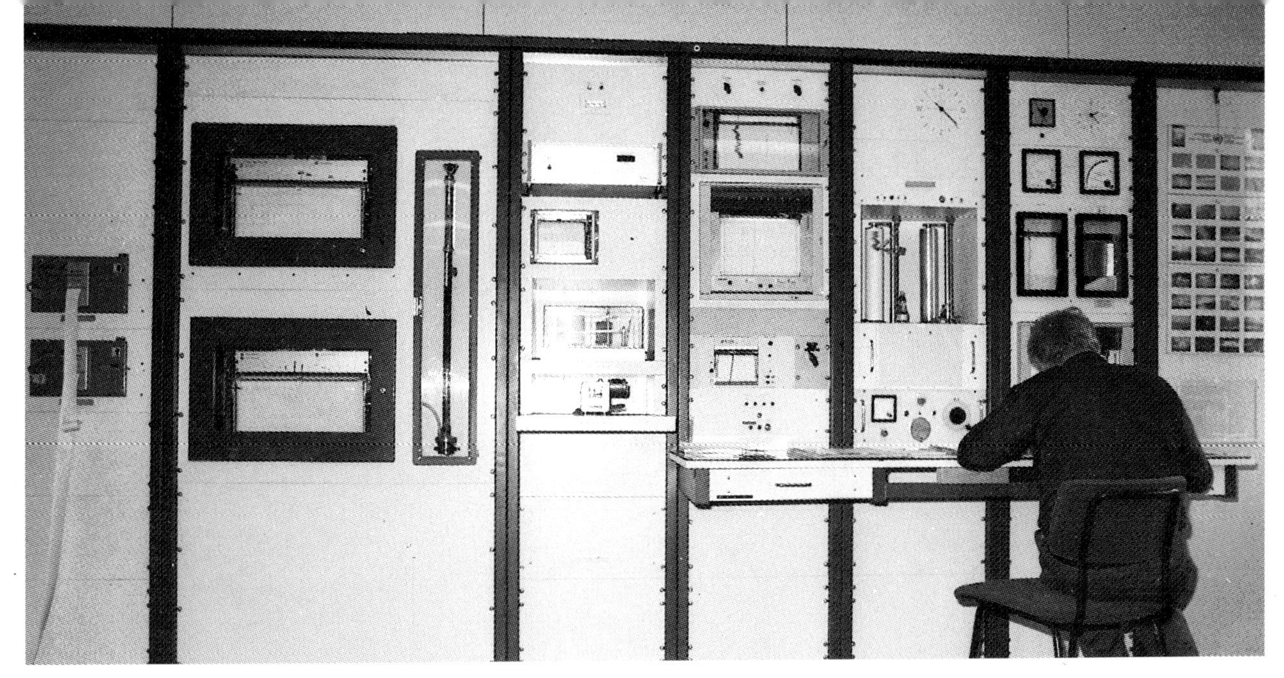

Boven: *paneel bij het* KNMI *waarop de instrumenten in de weertuin kunnen worden afgelezen.* Links midden: *adviseur Armand Pien in de weertuin van het* KMI *in Ukkel.* Onder: *een serie thermometers* (KMI). *Hiermee worden temperaturen op verschillende diepten, tot 3 meter toe, gemeten.* Links onder: *bij het* KMI *wordt van 120 verschillende planten de bloeitijd gemeten.* Geheel onder: *verdampingsmeter met windsnelheidsmeter* (KMI).

Vroeger moesten de meteorologen de instrumenten in de weertuin gaan aflezen. Tegenwoordig worden de resultaten elektronisch overgebracht, waardoor ze direct in de weerkamer beschikbaar zijn.
Voor bepaalde onderzoekingen kunnen aanvullende metingen worden gedaan zoals verontreinigingen in de lucht en in de neerslag, waarvoor monsters van lucht en neerslag worden geanalyseerd.
Voor de bouwnijverheid en de landbouw is vooral 's winters de temperatuur van de bodem en eventueel de dikte van de vorstlaag in de bodem van belang. Hiertoe worden temperatuurmetingen op diverse diepten onder het oppervlak, tot drie meter toe, uitgevoerd.
Incidenteel worden ook andere proeven en metingen gedaan. Een voorbeeld daarvan is het onderzoek, dat het KNMI enkele jaren geleden uitvoerde naar de zichtbaarheid van verschillende kleuren in de mist.

Het weer op aarde bestaat uit ca. 50 depressies en hogedrukgebieden. Op kleinere schaal vinden we daarin nog 100 000 buien, waarvan 2000 met onweer. Om het weer te kunnen bestuderen worden waarnemingen gedaan. Op deze bladzijden zien we alle mogelijkheden daartoe op een plaatje: koopvaardijschepen, onderzoekschepen, ballonnen, vliegtuigen, satellieten, landstations, meetboeien en radiosondes aan een parachute.
De koopvaardijschepen leveren meestal aan het einde van hun reis een logboek met weergegevens in. Die metingen zijn vooral voor klimatologisch onderzoek van belang. In toenemende mate gaan schepen de gegevens via satellieten direct doorgeven aan weerstations op het land. De onderzoekschepen worden ingezet om zaken als het ontstaan van tropische cyclonen ter plekke te onderzoeken. Zowel koopvaardij- als onderzoekschepen kunnen ook worden gebruikt om radiosondes aan ballonnen op te laten. De ballonnen die hier zijn getekend, komen tot veel grotere hoogten dan de radiosondes. Aan de ballonnen hangen instrumenten die de atmosfeer op 10 tot 30 km hoogte onderzoeken. De vliegtuigen worden, net als de schepen, zowel voor routinewaarnemingen als voor wetenschappelijk onderzoek gebruikt. Met de landstations maakten we op de vorige bladzijden al kennis. De meetboeien bevatten instrumenten om temperatuur, luchtdruk en relatieve vochtigheid te meten. De resultaten worden via satellieten direct verzameld. Ten slotte de radiosondes: dit zijn normale radiosondes, maar nu niet aan een ballon, maar aan een parachute opgehangen. De onderzoekers laten deze sondes vallen in gebieden waar ze onderzoek willen verrichten. Alle mogelijkheden die hier in beeld zijn gebracht zullen worden gebruikt tijdens een groots onderzoekingsproject, dat aan de gang is als dit boek verschijnt. Het project duurt van december 1978 tot december 1979 en heet GARP. Alle 144 lidstaten van de Wereld Meteorologische Organisatie WMO nemen eraan deel. Nooit eerder is de atmosfeer van de aarde zo intensief onder de loep genomen als juist op dit moment. Begrijpelijk is, dat naar de resultaten met spanning wordt uitgekeken.

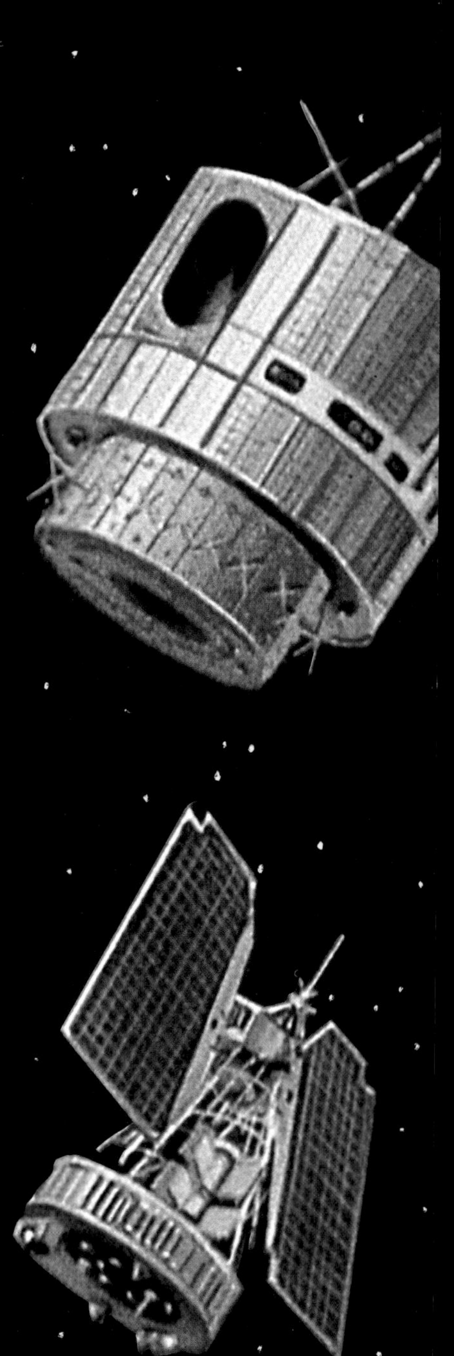

Radiosonde en radar

Elke dag om 12 uur 's middags en om 12 uur 's nachts wordt in De Bilt en Ukkel een ballon opgelaten. Onder aan de ballon hangt een klein pakketje instrumenten dat we radiosonde noemen. De instrumenten kunnen de luchtdruk, de temperatuur en de vochtigheid meten. De meetgegevens worden met behulp van een miniatuurzender naar De Bilt en Ukkel gestuurd. Bovendien zit er een constructie van latten en aluminiumfolie onder aan de ballon: het radardoel. Dit doel maakt het mogelijk om de radiosonde-ballon met radar te volgen. Zo kan op elk moment de positie worden bepaald en daaruit kunnen de windrichting en de windsnelheid worden berekend.
De ballon stijgt met een snelheid van 300 meter per minuut. Ze stijgt tot 25 of 30 km hoogte. Op die hoogte klapt de ballon. De radiosonde (die met ballon in Nederland *f* 150,– kost en in België 2000 BF) komt dan aan een parachute omlaag. Van de 730 sondes die De Bilt per jaar lanceert worden er 580 (dat is 80%) teruggestuurd. De vinder krijgt een beloning voor het terugzenden. De ballons drijven maximaal 200 km ver weg.
Radiosondes worden tweemaal per dag op 700 stations in de wereld opgelaten. Dank zij deze metingen krijgen de meteorologen een inzicht in de weerprocessen die zich afspelen in de luchtlaag van het aardoppervlak tot zo'n 15 km hoogte. Het is in die laag, de troposfeer, dat het weer wordt gemaakt. De radiosondemetingen, die nu ongeveer 30 jaar verricht worden hebben voor een aanzienlijke verbetering van het inzicht in de meteorologie gezorgd.
De radarantennes die worden gebruikt om de radiosonde te volgen, worden ook gebruikt om buien te bekijken. Niet alleen de metalen reflector aan de ballon, maar ook ijsdeeltjes en waterdruppels in een bui of wolk kaatsen radargolven terug. Met behulp van de radar kan de meteoroloog alle buien binnen een afstand van 200 km opsporen. Hij kan ook het pad van zo'n bui volgen en zo op héél korte termijn heel gedetailleerde voorspellingen doen. Het vervelende van gewone regen en van onweersbuien is dat ze zo moeilijk voorspelbaar zijn. Wel weet de meteoroloog vaak één of twee dagen van tevoren dat zich in een bepaalde depressie buien zullen ontwikkelen, maar niet waar dat zal zijn. Voor vliegtuigen is een ingebouwde buienradar tegenwoordig heel gewoon en ook vliegvelden maken er druk en dankbaar gebruik van. Bij de meer ernstige 'storingen', zoals tornado's, is de radar een kostbaar instrument om de bevolking van een bedreigd gebied tijdig te kunnen waarschuwen. De radar is een instrument dat we

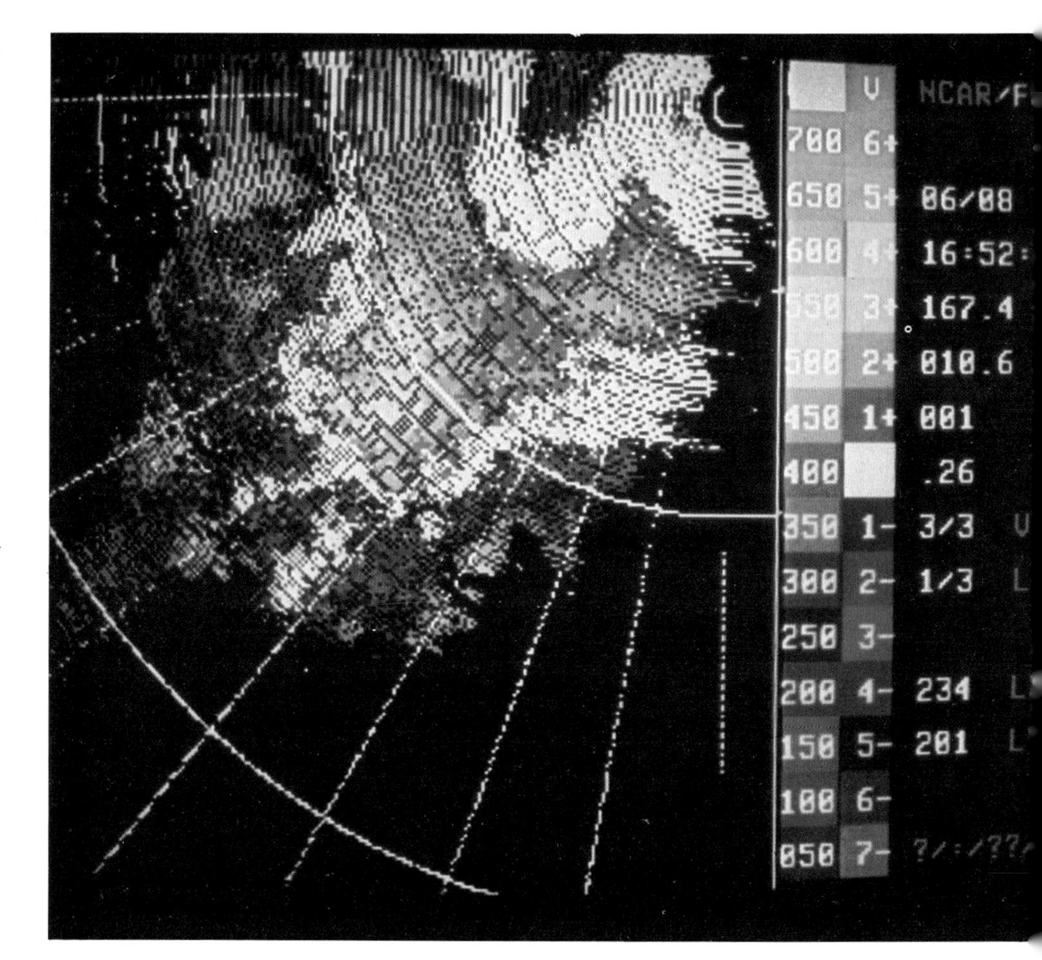

Rechts: *een radiosonde stijgt op in Ukkel.* Van boven naar beneden: *ballon, parachute, radarreflector en radiosonde.* Onder: *buienradar.*

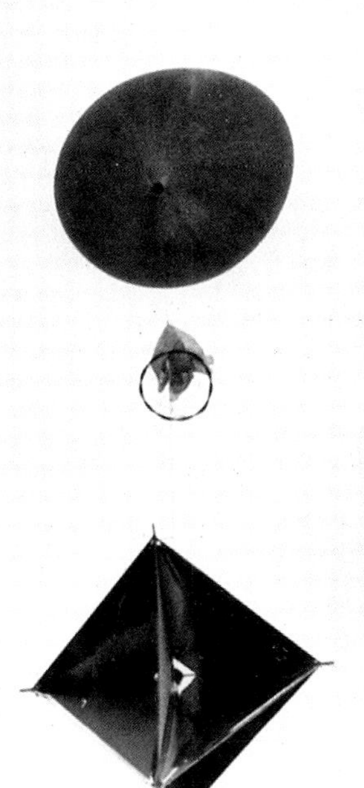

Links: *lancering van een radiosonde in De Bilt. Op de grond duidelijk zichtbaar de radarreflector.*

hebben overgehouden van de Tweede Wereldoorlog. Het woord radar is afkomstig uit het Engels en staat voor de aanduiding 'Radio detection and ranging'.
De buienradar is een instrument, dat meteorologen in De Bilt en Ukkel thans dagelijks gebruiken. De weersverwachting voor een termijn van twee of drie dagen vooruit is thans erg betrouwbaar, maar juist op heel korte termijn kunnen zich verrassingen voordoen. De buienradar helpt de meteoroloog die spoedig optredende storingen te voorspellen.

Meten in uithoeken

We hebben al gezien dat er 7000 waarnemingsstations zijn die op gezette tijden weerkundige waarnemingen doen. Het is niet moeilijk om waarnemingsstations op het land te vestigen. Er is een groot aantal meteorologische waarnemingsposten in West-Europa, Rusland en in de Verenigde Staten, maar te weinig in Afrika en China.
Een groter probleem is echter om voldoende gegevens van de oceanen te krijgen. Driekwart van de aardbol is immers met water bedekt. Er zijn schepen die gegevens verzamelen en alleen hun meteorologische logboeken doorgeven. Deze gegevens zijn alleen voor de klimatologen en oceanografen van belang. De meteoroloog die een verwachting moet opstellen wil meteen de beschikking hebben over gegevens. Ruim

Boven: *lichteiland Goeree, een automatisch weerstation voor de Nederlandse kust.*
Links: *weerschip 'Cumulus'.*

4000 schepen geven, als ze op zee zijn, vaak elke zes uur hun waarnemingen naar een kuststation door. Vandaar worden deze waarnemingen naar alle meteorologische diensten gezonden. De meteoroloog maakt ook gebruik van speciale weerschepen, zoals de Cumulus van het KNMI, en van meetplatforms in zee. Een van die meetplatforms is het lichteiland Goeree voor de Nederlandse kust. Er worden ook steeds meer boeien in zeeën en oceanen uitgezet. Deze boeien geven via satellieten automatisch hun gegevens door. De grootste gaten in het waarnemingsnet worden op deze manier snel opgevuld, al is de prijs van de boeien een bezwaar: de kleinste kost nog 10 miljoen BF.
Tegenwoordig zijn ook lijnvliegtuigen uitgerust met automatische meetapparatuur. Ook hier ligt het in de bedoeling op den duur via satellieten de gegevens te verzamelen en te verspreiden. De grote weerdiensten beschikken zelf over vliegtuigen, die overigens vooral voor experimenten en niet voor routinemetingen worden ingezet. Alles bij elkaar komen er gegevens uit alle uithoeken van de aarde. Toch zijn er nog witte plekken en die witte plekken worden de laatste jaren opgevuld door iets heel nieuws: weersatellieten.

Links: *een Lockheed-Elektra van het Amerikaanse Centrum voor Atmosfeeronderzoek. Voor op de neus apparatuur voor metingen van wind en temperatuur.*
Onder: *ook in zeer afgelegen gebieden worden metingen verricht. Deze instrumenten staan op de zuidpool.*

Satellietfoto's

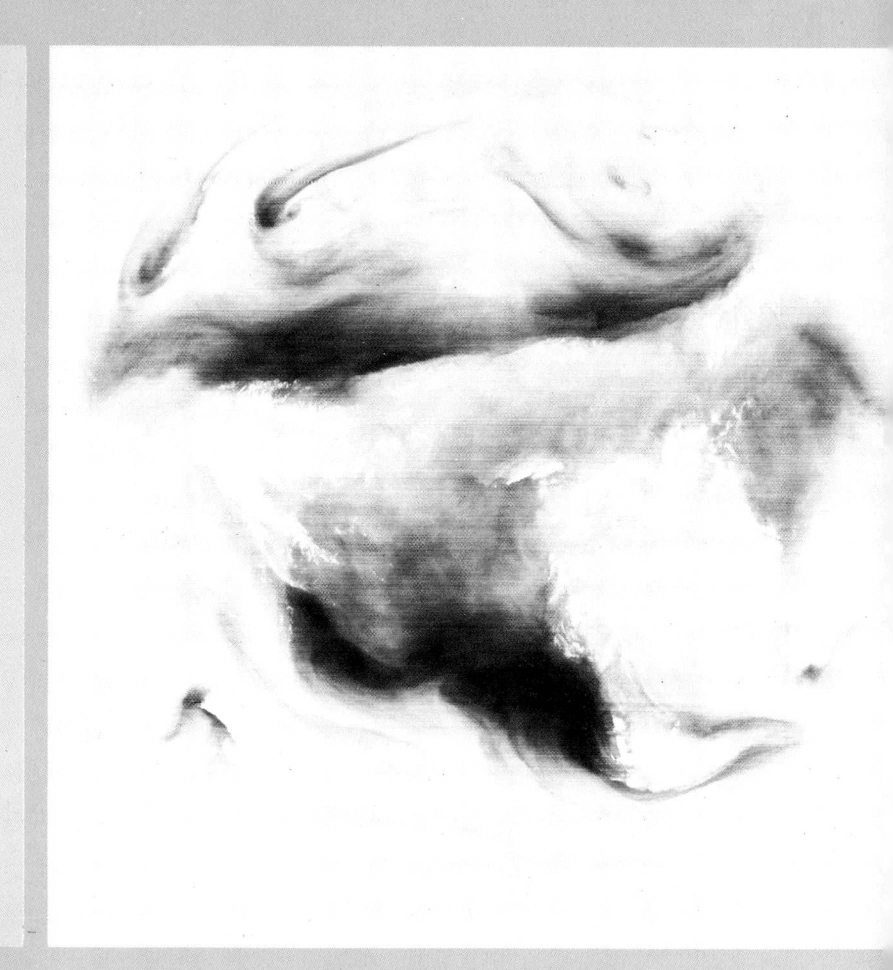

De weersatellieten die om de aarde draaien, hebben samen al meer dan 5 miljoen foto's overgeseind. Sedert de lancering van de eerste weersatelliet op 1 april 1960 is er geen enkele tropische cycloon meer onopgemerkt gebleven vóór hij bewoonde gebieden had bereikt. De weersatellieten fotograferen ook ijsbergen en sneeuwvelden. Hun voornaamste functie blijft echter om dag en nacht de bewolking te fotograferen. 's Nachts gebeurt dat door opnamen in infrarode straling te maken.

Foto's op blz. 126: drie opnamen gemaakt op 9 januari 1978 om 12.55 uur door de Europese weersatelliet Meteosat. De foto uiterst links onder is gemaakt bij gewoon zichtbaar licht. De foto daarnaast werd gefotografeerd in infrarood. Op de foto links boven zijn de koude wolken wit, de warme zwart of grijs. Foto onder: weerfoto van Frankrijk, België en Nederland, opgevangen op 30 juli 1975 in Lannion (Frankrijk).

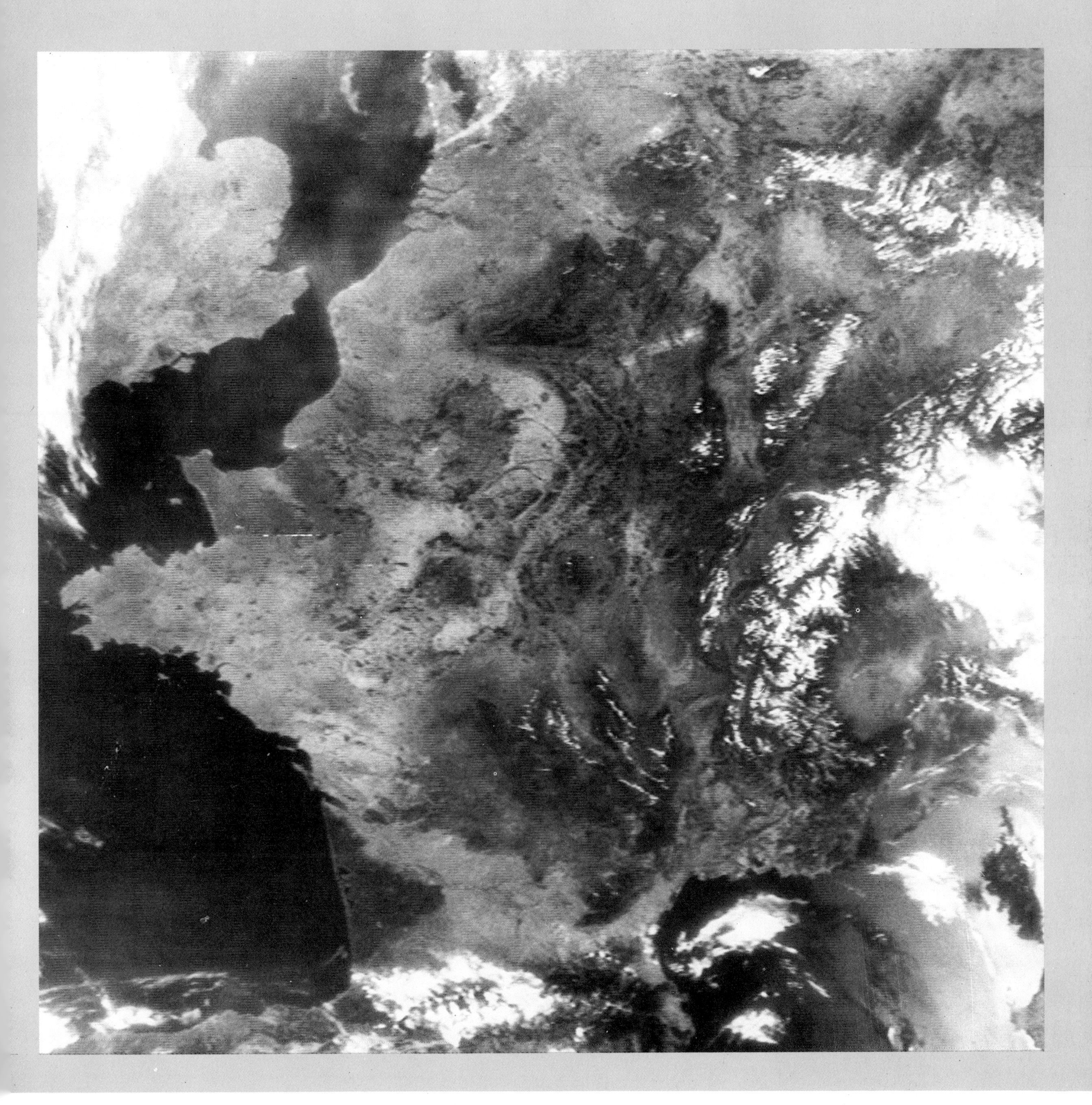

Weersatellieten

Op 1 april 1960 werd de eerste weersatelliet, Tiros-1, gelanceerd. Er zijn nu al meer dan 60 weersatellieten in een baan om de aarde gebracht. Aanvankelijk werden de weersatellieten vooral gebruikt om foto's van de bewolking te maken. Het grote voordeel dat de satellieten boden, was dat de hele aarde toegankelijk werd. Tot het moment dat de eerste Tiros werd gelanceerd, ontvingen de meteorologen van grote delen van de aardbol geen informatie. Dit gebrek aan informatie bemoeilijkt het opstellen van een betrouwbare verwachting.
De moderne weersatellieten doen veel meer dan alleen foto's van de bewolking naar de aarde overseinen. Ze meten tem-

Boven: *Europa's grootste ontvangststation: Lannion in Frankrijk.*

peraturen en vochtigheden en ze geven informatie over de verticale temperatuuropbouw van de lucht, precies zoals de radiosonde dat doet. De gegevens worden opgevangen met behulp van voor dit doel gebouwde antennes. In Europa vinden we het grootste station voor de ontvangst van weersatellieten in Frankrijk in Lannion. Op deze foto staan enkele van de antennes in Lannion.
Voor de ontvangst van foto's is geen ingewikkelde apparatuur meer nodig. We zullen op bladzijde 142 en 143 zelfs zien dat handige mensen zelf een ontvangststation kunnen bouwen. Het KNMI in De Bilt en het KMI in Ukkel beschikken ook over een eigen ontvangststation. Iedere 90 minuten passeert een Amerikaanse satelliet onze landen. De foto's die dan worden gemaakt van de bewolking boven West-Europa worden minuten later al bekeken door o.a. de meteorologen van De Bilt en Ukkel. Veel weersatellieten draaien in een baan om de aarde die over de polen voert. Het voordeel hiervan is dat alle delen van de aardbol periodiek door dezelfde satelliet bekeken kunnen worden. Andere satellieten zijn in een zodanige baan gebracht, dat ze stil lijken te hangen boven de aardbol. We noemen ze geostationaire satellieten. Vijf van deze kunstmanen (3 Amerikaanse, 1 Japanse en 1 Europese) vormen samen een wereldomspannend netwerk. Op de foto op bladzijde 128 zien we de Europese satelliet Meteosat tijdens de constructie. Deze satelliet werd in november 1977 gelanceerd.

Ontvangst van satellietfoto's op het KMI.

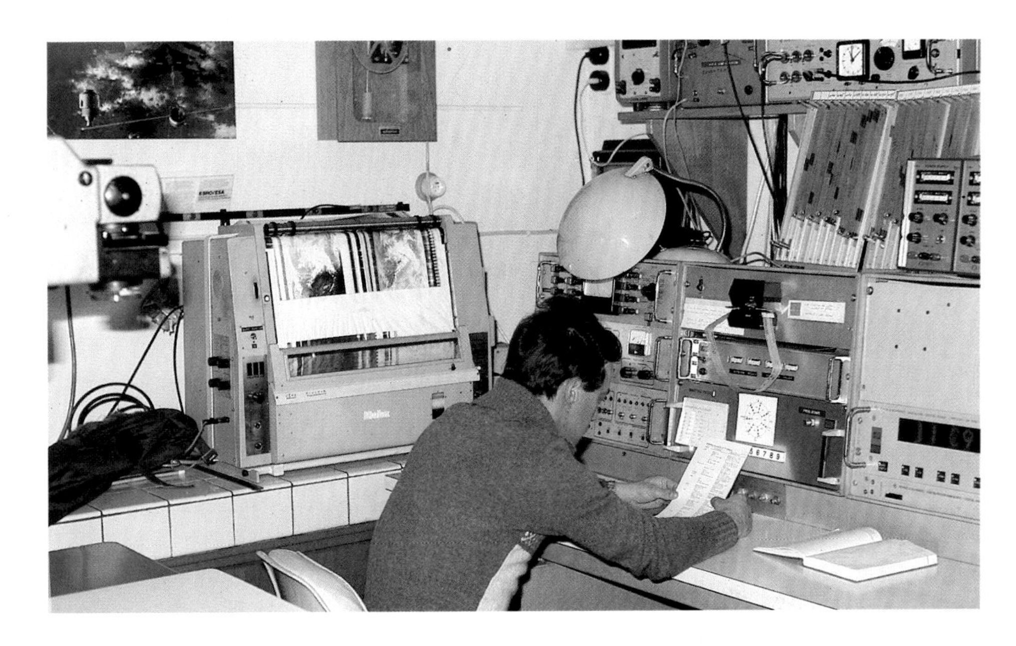

Het uitwisselen van weergegevens

Alle weerstations op aarde, en dat zijn er meer dan 7000, verrichten op vaste uren *gelijktijdig* hun metingen. De resultaten van één land worden op één plaats verzameld. Voor België is dat Zaventem, voor Nederland De Bilt. De weerdiensten van de verschillende landen wisselen 24 uur per dag gegevens met elkaar uit. Om taalproblemen te voorkomen zijn alle gegevens in de vorm van een code gebracht. Soms worden zelfs de complete geanalyseerde weerkaarten uitgewisseld. Dat bespaart veel tijd.

Om een indruk te geven van de codes (we behandelen ze niet allemaal) die de meteoroloog gebruikt volgt hier het begin van het weerrapport van De Bilt, 9 januari 1976, 12 uur: 06260–8–24–13–50–20.

De betekenis is:

06	Denemarken, Benelux of Zwitserland
260	stationsnummer De Bilt
8	bewolking 8/8, dus helemaal bewolkt
24	windrichting 240° is westzuidwest
13	windsnelheid 13 knopen
50	horizontaal zicht 5000 meter
20	lichte motregen in het afgelopen uur (zie WW-code op schutbladen)

Het gehele bericht is tweemaal zo lang. Er volgt nog informatie over luchtdruk, temperatuur, soort bewolking, eventuele neerslag enz.

De binnenkomende gegevens moeten op weerkaarten worden ingetekend. We noemen dat plotten. De volledige codering van het plotten zullen we op blz. 131 behandelen. Belangrijk is wel te weten dat alle meteorologische diensten over de hele wereld op dezelfde manier en met dezelfde symbolen hun kaarten plotten. Juist hierdoor zijn de kaarten uitwisselbaar en voor anderen begrijpelijk. Tot voor kort vergde het plotten veel mankracht. Steeds meer instituten, ook het KNMI, beschikken tegenwoordig over automatische plotters. Dat zijn machines die razendsnel de binnenkomende gegevens in de vorm van plotjes op een kaart tekenen, in diagrammen uitzetten, ja zelfs weerkaarten direct construeren.

We vatten nog een keer samen hoe het weerbericht tot stand komt: eerst worden in duizenden plaatsen metingen uitgevoerd. De metingen worden in nationale centra verzameld. Die centra wisselen onderling gegevens uit. Bij die uitwisseling speelt ook de computer een belangrijke

Onder: *een van de vele telexapparaten van het* KNMI *in De Bilt.* Rechts: *weerman Jan Pelleboer is in staat thuis facsimile-weerkaarten te ontvangen.* Rechts onder: *telexkamer van het* KNMI.

rol. De gegevens worden met de hand of met de machine geplot; zo ontstaat de weerkaart. De meteoroloog analyseert de weerkaart. Hij vergelijkt de laatste kaart met die van voorgaande uren. In een gesprek met collega's wordt dan de verwachting opgesteld, die daarna wordt gedistribueerd naar allerlei belanghebbende instanties.

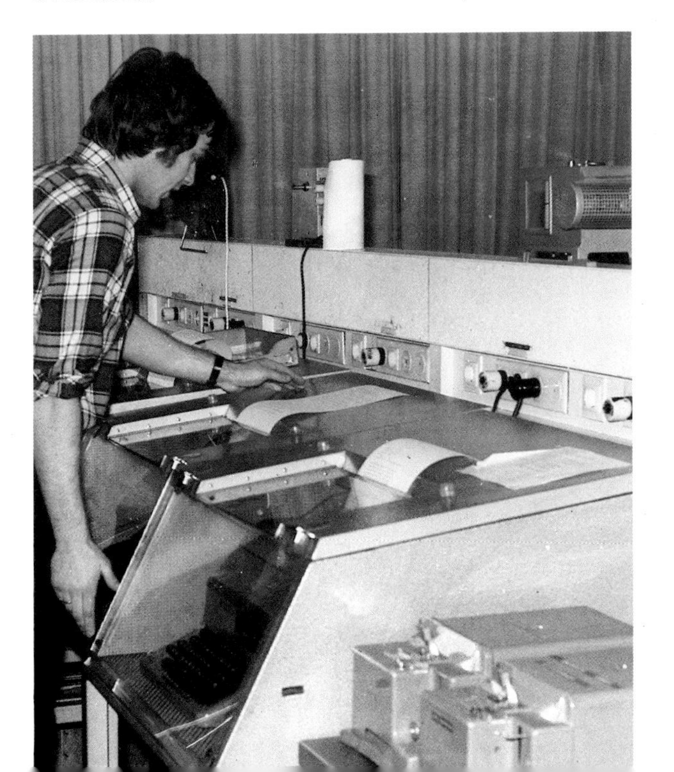

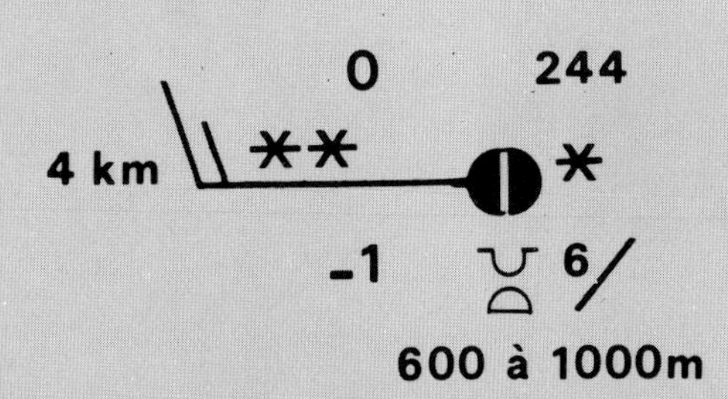

DE PLOT

De weergegevens worden in de vorm van cijfercodes uitgewisseld. Het weerbureau waar de gegevens worden ontvangen, gaat deze verwerken in weerkaarten. Daartoe worden de grondwaarnemingen op een kaart geplot. De plot wordt opgebouwd rond een punt, dat de plaats van waarneming weergeeft. Een voorbeeld van een plotje staat hier afgebeeld.
Rechts boven vinden we de luchtdruk, 244 wil zeggen dat de luchtdruk 1000 + 24,4 = 1024,4 millibar is. De lijn naar links geeft de windrichting aan: in dit geval west. Op die lijn is anderhalf vaantje aangebracht, hetgeen betekent dat de windsnelheid afgerond 15 knopen bedraagt. De aanduiding 4 km wil zeggen dat het horizontaal zicht 4 kilometer is. De twee sterretjes boven de windrichting geven het huidige weertype aan: aanhoudende sneeuwval, licht op het ogenblik van de waarneming. De 0 daarboven geeft de luchttemperatuur aan, in dit geval 0 °C. Rechts naast het bolletje staat een ster: het voorbije weer (sneeuw of natte sneeuw).
Dan vinden we nog informatie over de basis van de wolken: de hoogte bedraagt 600 tot 1000 meter boven de grond. De –1 is het dauwpunt (–1 °C) en de resterende symbolen geven het wolkenkarakter (lage wolken, cumulus en stratocumulus) en de luchtdrukverandering (6 tienden millibar) aan. De plotjes worden in rood en zwart gemaakt, de kleuren hebben een eigen betekenis. De symbolen zijn internationaal, daarom kunnen weerkaarten door meteorologen uit alle landen worden gelezen.

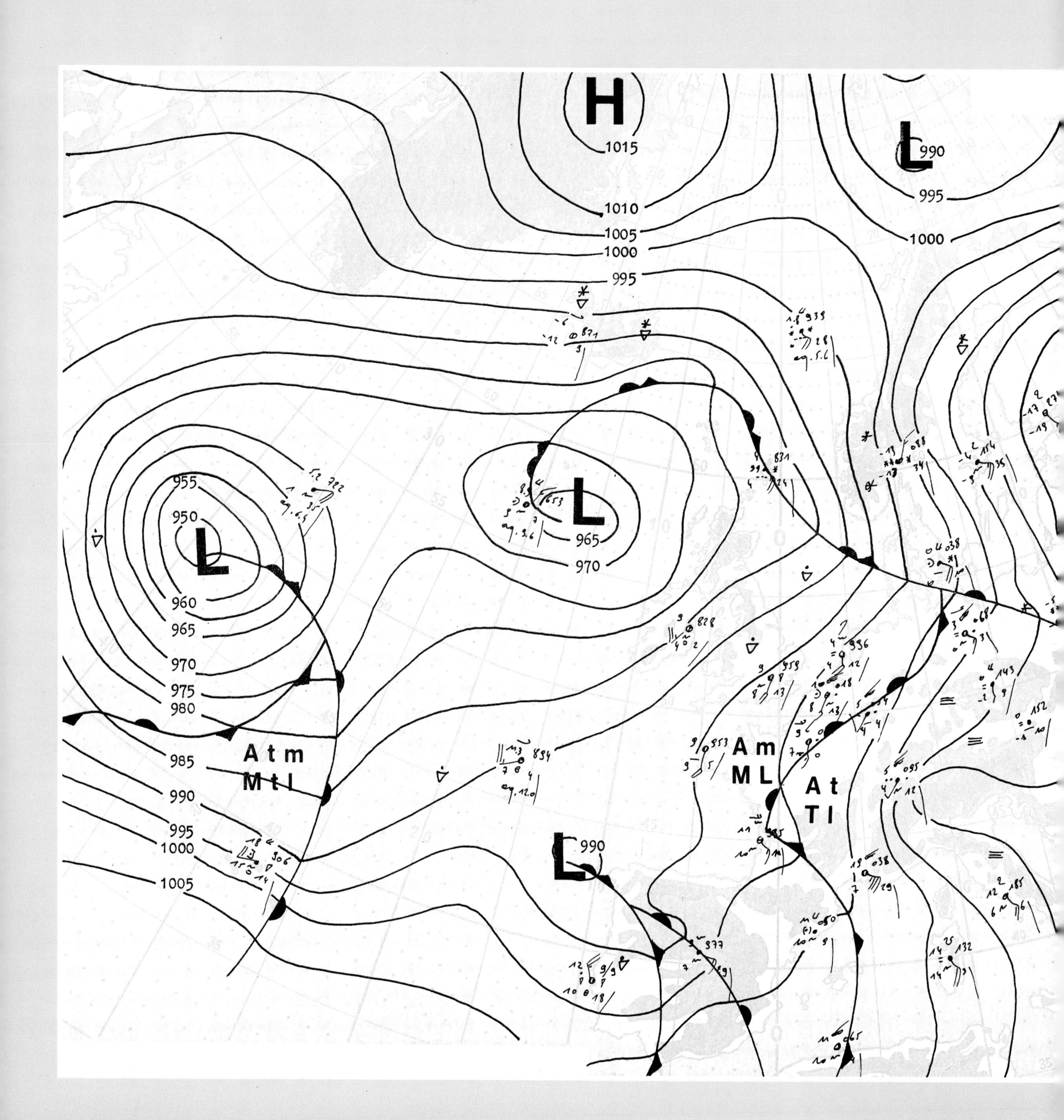
H
1015
1010
1005
1000
995
L
990
995
1000
L
955
950
960
965
970
975
980
985
990
995
1000
1005
L
965
970
Atm
MtI
Am
ML
At
TI
L
990

De weerkaart

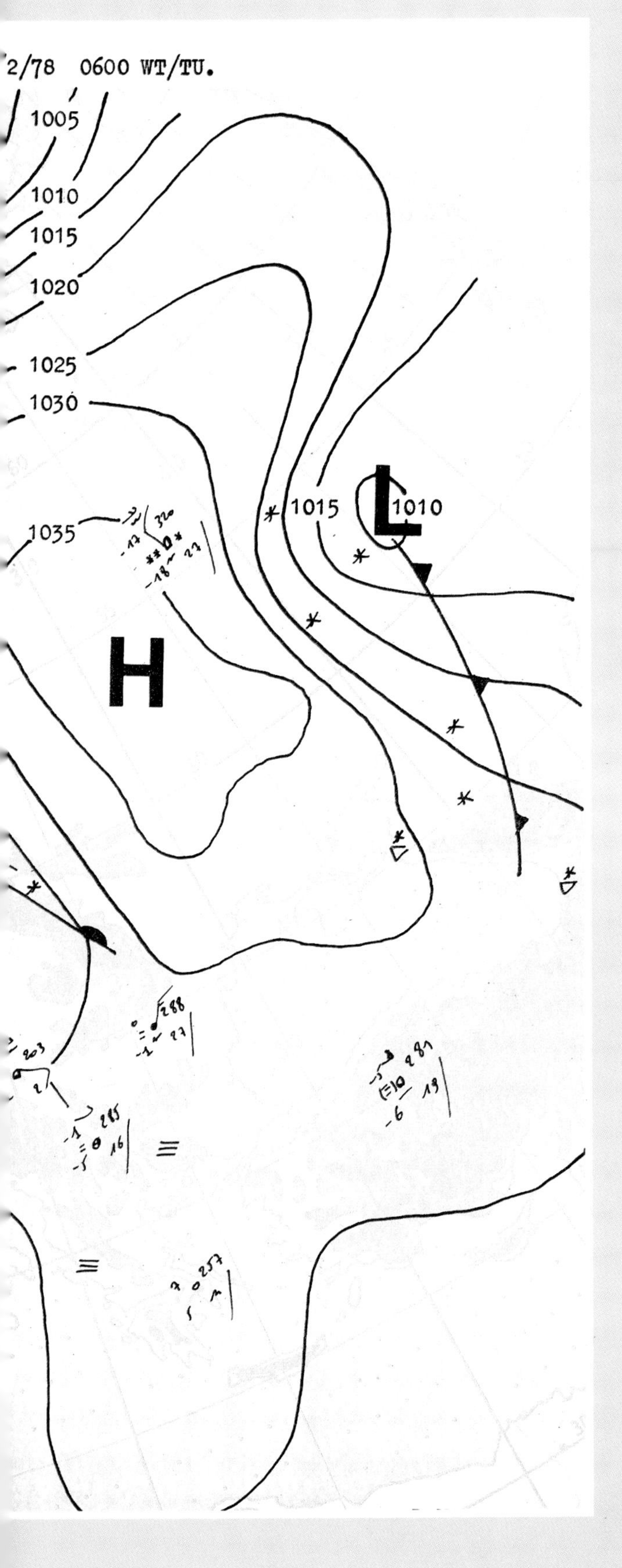

Als de meteoroloog de weergegevens op de kaart heeft geplot, gaat hij lijnen van gelijke luchtdruk met elkaar verbinden. Op deze wijze tekent hij isobaren. Als de luchtdruk snel verandert, van plaats tot plaats, liggen de isobaren dicht bij elkaar. In het algemeen zal er dan veel verplaatsing van lucht zijn om de verschillen te nivelleren en kan er dus gesproken worden van veel wind.

Een uitgewerkte weerkaart toont de gebieden met *hoge druk* en *lage druk*. Uit de weerkaart kan veel worden afgeleid over de verplaatsing van luchtmassa's, over botsingen van koude en warme lucht en over gebieden waar storingen ontstaan en wanneer hun invloeden merkbaar worden. Tegenwoordig wordt het plotten van weerkaarten steeds vaker met een machine in plaats van met de hand gedaan. De meteoroloog bespaart hierdoor tijd, maar hij moet zich grondiger verdiepen in de kaart die hij ontvangt. Op de foto de automatische en gecompliceerde plotter van het KNMI in De Bilt.

Het wereldweerbedrijf

In 1873 werd de Internationale Meteorologische Organisatie IMO opgericht met als doel het uitwisselen van weergegevens te bevorderen en de internationale samenwerking op het gebied van het meteorologisch onderzoek te stimuleren. In 1947 werd de IMO uitgebreid tot WMO, Wereld Meteorologische Organisatie. De WMO is een onderdeel van de Verenigde Naties. De WMO zetelt in Genève en telt thans 144 lidstaten.

De WMO heeft al meer dan 10 jaar geleden een wereld-weerwacht (WWW = World Weather Watch) georganiseerd. De WWW heeft drie belangrijke taken: het verzamelen van gegevens over de hele wereld, het uitwisselen van gegevens over de hele wereld en het verwerken van gegevens over

Boven: *automatisch werkende weerboei.*
Links: *meteorologisch onderzoek op volle zee.*

de hele wereld. De basis van het wereldwijde waarnemingsnet wordt natuurlijk gevormd door de nationale en regionale waarnemingsnetten.
De WMO stimuleert en coördineert ook wetenschappelijk onderzoek. In de afgelopen jaren zijn er enkele grootscheepse experimenten uitgevoerd. Zo werd in 1974 ten westen van Senegal het project 'GATE' uitgevoerd. Dit beoogde het ontstaan van tropische cyclonen te bestuderen. Bij GATE waren mensen, schepen, vliegtuigen en satellieten uit 76 landen ingeschakeld. Een nog veel groter experiment is juist begonnen: van december 1978 tot december 1979 zal een wereldomvattend onderzoekingsproject worden uitgevoerd waaraan alle 144 lidstaten van de WMO deelnemen. Voor het eerst in de geschiedenis worden over de *hele* wereld metingen uitgevoerd. De naam van het project is GARP. Naast de toch al in gebruik zijnde meetstations (700 waar radiosondes worden opgelaten, 3500 landstations, 6000 schepen en duizenden vliegtuigen) uit de WWW worden voor GARP extra ingezet:

- 4 kunstmanen in een baan die over de polen voert
- 5 kunstmanen in een geostationaire baan
- 2 experimentele weersatellieten
- 50 schepen die in tropische gebieden radiosondes oplaten
- 300 ballons die op 15 km hoogte blijven zweven (windmeting)
- 300 boeien in de oceaan op het zuidelijk halfrond
- 20 speciale vliegtuigen met meetapparatuur
- 10 vliegtuigen die instrumenten in cyclonen, tornado's en onweershaarden laten vallen.

Dit gigantische project is eerst uitgebreid getest. Bij de vliegtuigen die met extra apparatuur zijn uitgerust is ook een toestel van de KLM.
Het doel van GARP is in de eerste plaats de atmosfeer beter te leren begrijpen om zodoende de weersvoorspelling te verbeteren. In de tweede plaats wil men nagaan waar de grenzen liggen van hetgeen met een lange-termijnverwachting mogelijk is.

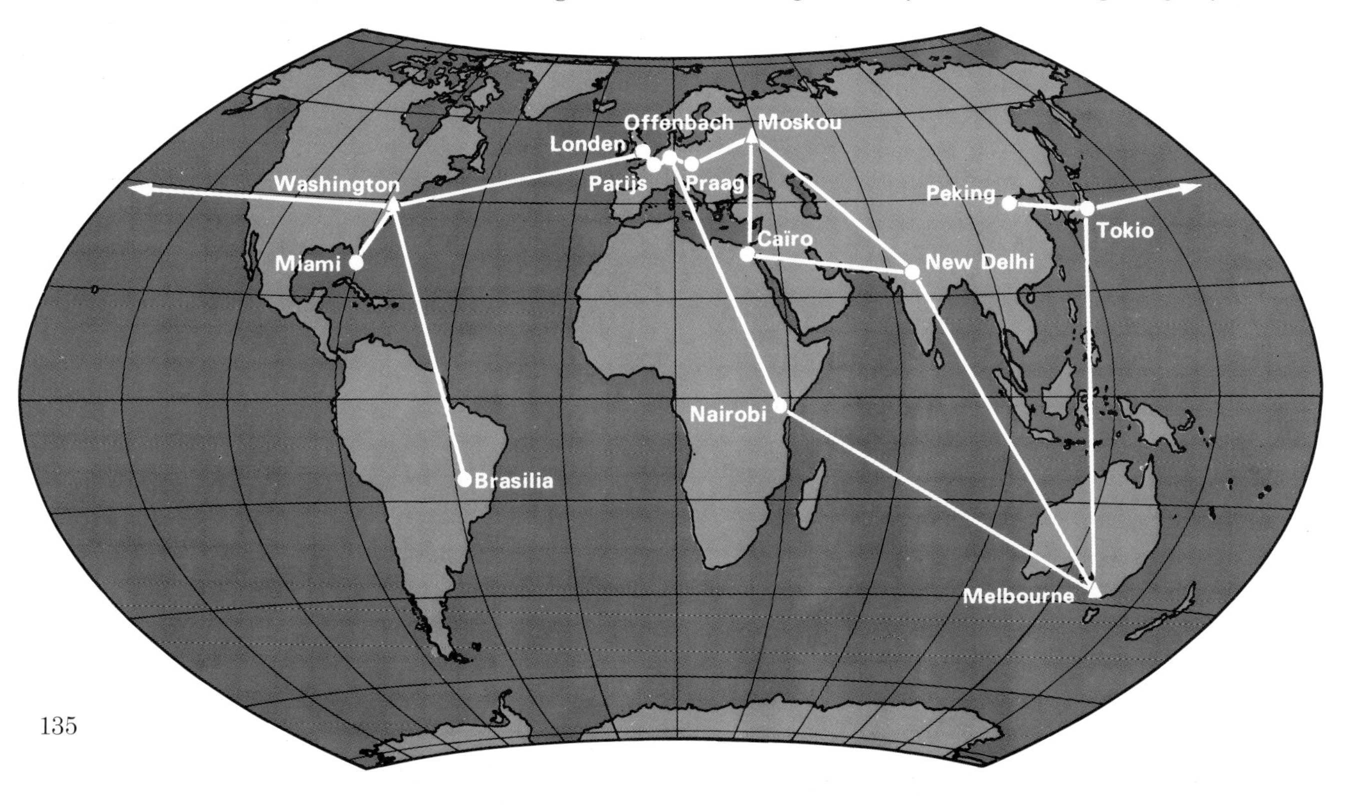

Schema van het wereldomvattend telecommunicatienet. De drie hoofdcentra (Moskou, Washington en Melbourne) beschikken over alle waarnemingen op het noordelijk en zuidelijk halfrond.

De computer in het weerbedrijf

De eerste poging om de toekomstige weerssituatie stap voor stap te berekenen volgens de wetmatigheden van de atmosfeer werden omstreeks 1920 ondernomen door de Engelsman L.F. Richardson. Hij koos het weerbeeld van 20 mei 1910 om het weer voor de komende zes uur te berekenen. Hij was samen met vele assistenten weken bezig. Achteraf bleek de uitkomst niet eens te kloppen. Toch bleek zijn werk van geweldig veel belang. Het is inderdaad mogelijk een wiskundig model van de atmosfeer te maken en zo het weer vooruit te berekenen.
Sedert 1948 hebben meteorologen computers in gebruik om vooruit te berekenen wat het weer gaat doen.
Ook als computers worden ingeschakeld, zijn niet alle problemen opgelost. Het weer kan maar in kleine stapjes van bijv. één uur vooruit worden berekend. Daarom zijn er ontzettend veel berekeningen en dus grote computers nodig. Het is nu al gebruikelijk dat de meteoroloog in De Bilt en Ukkel zijn eigen prognose, gebaseerd op weerkaarten, vergelijkt met die van de computer, gebaseerd op een model en op wiskundige berekening. Voor verwachtingen tot 36 uur vooruit blijkt soms de meteoroloog met zijn ervaring en soms de computer beter te zijn. Het beste resultaat wordt echter verkregen als de computerberekeningen door de meteoroloog worden gebruikt als leidraad bij het opstellen van de verwachting.
Met computers worden momenteel al weersontwikkelingen tot 4 à 5 dagen vooruit berekend. De betrouwbaarheid na de derde dag is nu nog betrekkelijk klein, maar men verwacht dat die kan worden verbeterd. Men hoopt zelfs op den duur betrouwbare computerverwachtingen voor 4 tot 10 dagen vooruit te kunnen maken. Om dat voor elkaar te krijgen zijn gigantische computers nodig en moet ook een nog meer verfijnd model van de atmosfeer worden toegepast. Eén land zou dat niet kunnen betalen. Daarom heeft een

De computerruimten van Ukkel (links) en van De Bilt (onder).
Rechts onder: *een met de computer berekend model van luchtdrukverdelingen.*

aantal Europese landen samen het 'Europees Centrum voor Meerdaagse Verwachtingen' opgericht. Dit centrum bevindt zich in Reading in Engeland. België en Nederland nemen ook deel in dit centrum. Men verwacht dat 'Reading' vanaf 1980 verwachtingen tot een week vooruit gaat geven.
De berekening van de toekomstige weersontwikkelingen is de voornaamste taak van de computer in de meteorologische instituten. Daarnaast wordt hij ingezet bij de internationale berichtenuitwisseling, het wetenschappelijk onderzoek, de verwerking van meetgegevens o.a. die van de meetmast van Cabauw en als 'archief'. De computer kan heel snel weerssituaties uit het verleden opzoeken en reproduceren om de huidige ontwikkelingen te vergelijken met overeenkomstige van vroeger.

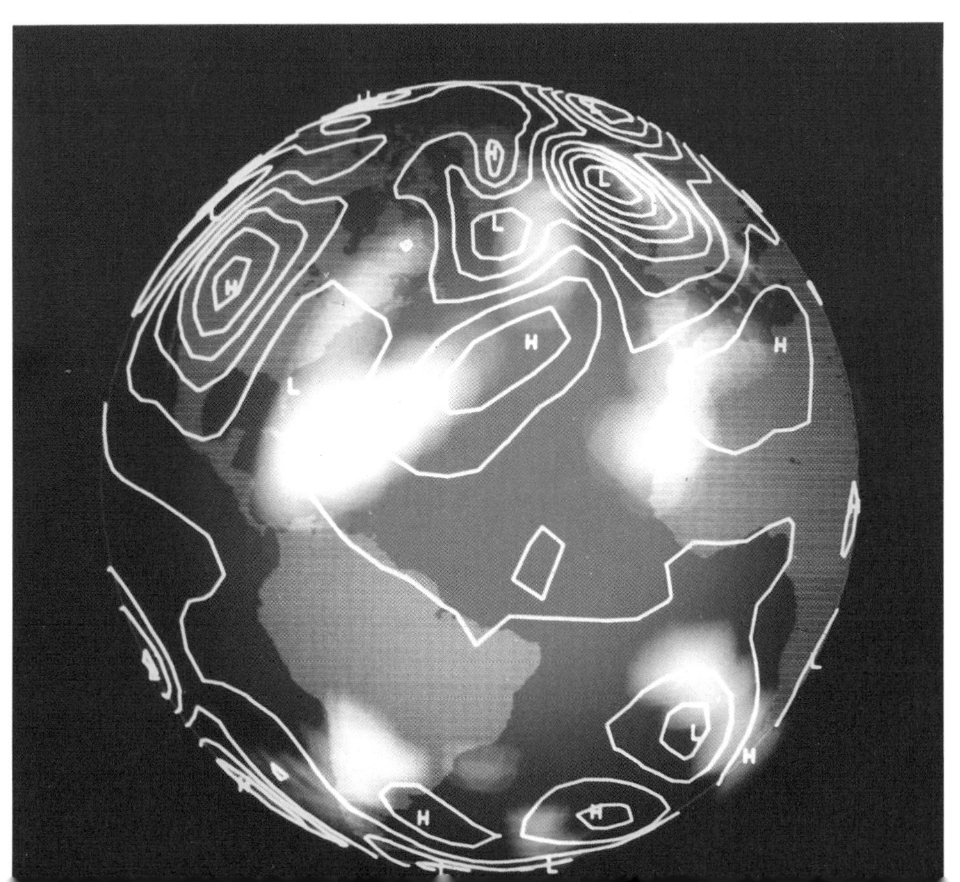

De maandverwachting

Links: *een lange periode van droogte kan funest zijn voor de landbouw. Een betrouwbare weersverwachting op lange termijn kan een deel van deze problematiek voorkomen, omdat dan gerichte maatregelen kunnen worden getroffen.*

In 1939 kwam dr. S.W. Visser van het KNMI in De Bilt, na een onderzoek van 3 jaar, tot de conclusie dat 'wij mogen besluiten dat weersverwachtingen op langen termijn in Nederland met een behoorlijke kans op succes mogelijk zijn, echter met de beperking, dat zij gelden voor 3 maandsgemiddelden'. Deze conclusie van dr. Visser betekende dat het karakter van een seizoen redelijk voorspeld zou kunnen worden. Intussen is men op het KNMI wat teruggekomen op deze conclusie: men gaat voorlopig niet verder dan voorspellingen tot een week vooruit. Andere weerdiensten in de Verenigde Staten, Engeland en Duitsland werken wel met een experimentele maandverwachting. Het KNMI heeft zijn eigen en de buitenlandse verwachtingen de afgelopen jaren kritisch bekeken, maar heeft er voor de naaste toekomst nog weinig vertrouwen in.

Het aardige van de verwachtingsmethode van Visser is nog wel dat zijn systeem in wezen hetzelfde is als dat van de Enkhuizer Almanak (zie blz. 146). Visser zocht naar periodieke schommelingen in neerslag en temperatuur en vond tijdens zijn onderzoek bizarre periodes van $2\frac{1}{4}$, $3\frac{1}{4}$, $5\frac{1}{4}$, 7 en 11 jaar.

De Duitse meteoroloog Franz Baur heeft naarstig gezocht naar mogelijke samenhang tussen het weer in een voorbije periode en dat van de komende *maand* of het komende *seizoen*. Hij stelde meer dan honderd statistische regels op. Slechts enkele blijken redelijk betrouwbaar te zijn, zoals 'als in Berlijn de eerste 10 dagen van december ten minste 2,5 °C warmer zijn dan normaal, dan is de kans op een strenge winter in West- en Midden-Europa verwaarloosbaar klein'.

Een andere methode voor lange-termijn-

verwachtingen is uit te gaan van het luchtstromingenpatroon op dit moment en te verwachten dat de atmosfeer dezelfde ontwikkelingsweg zal volgen als in het verleden bij een overeenkomstige situatie is gebeurd.
Intussen blijft het interessant ons af te vragen of we in de toekomst een betrouwbare maandverwachting zullen krijgen. Dergelijke verwachtingen zullen redelijk globaal blijven, maar landbouw, bosbouw, energieproducenten en vele anderen die in dit boek aan bod kwamen kunnen er hun voordeel mee doen. Ook na het jaar 2000 zal er nog een grote afhankelijkheid zijn van het weer, maar toch een die heel anders is dan thans. Vele van de voorbeelden die in dit boek werden aangedragen hebben dan alleen nog waarde voor hen die genoegen scheppen in geschiedenis.

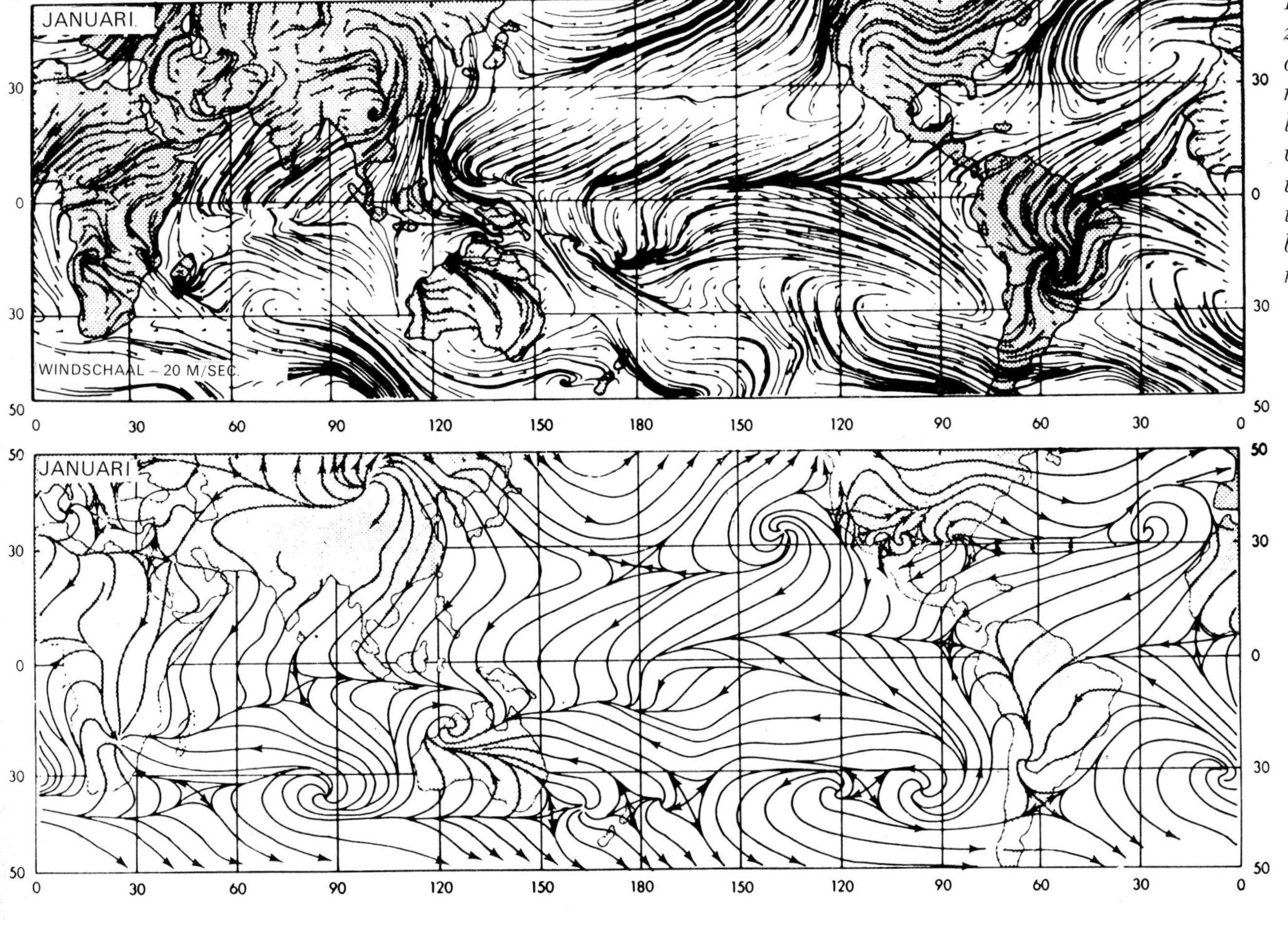

Een computereenheid, zoals hierboven afgebeeld, berekende nevenstaande wereldluchtcirculatie 55 dagen vooruit. Deze wijze van werken brengt de langetermijnverwachting binnen de concrete mogelijkheden.

Weeramateurs

Weer kan ook een hobby zijn. In Nederland en België bestaan werkgroepen voor weeramateurs. De weeramateurs kunnen zelf waarnemingen verrichten. Onze kaart geeft een overzicht van alle amateurwaarnemingsstations in Nederland en België. Veel amateurs bouwen ook zelf instrumenten: regenmeters, windmeters enz. Verder zijn er enthousiasten die vooral foto's maken van bijvoorbeeld wolkentypen. Zowel in Nederland als in België worden de weeramateurs begeleid door meteorologen van de instituten het KNMI en het KMI.

De Nederlandse weeramateurs werken binnen de Nederlandse Vereniging voor Weer- en Sterrenkunde. Ze stellen eigen waarnemingsprogramma's op en doen op bescheiden schaal wetenschappelijk onderzoek. Enkele weeramateurs zijn zo ver gevorderd dat ze wetenschappelijke publikaties op hun naam hebben staan. Via het Nederlandse amateurblad de *Weerspiegel* worden gegevens en ervaringen uitgewisseld en wordt de kennis van de meteorologie verder uitgediept.

weerspiegel 1
maandblad voor weergeinteresseerden
uitgegeven door de werkgroep weeramateurs
jaargang 5
januari 1978

Onder: *weeramateur IJnsen in Stiens (Fr.).* Rechts: *zijn collega Klaas Ybema in Schettens (Fr.).*

Informatie voor weeramateurs:

Voor Nederland:	Voor België:
KLAAS BIJKER	JEAN-PIERRE DEGROOF
BRUCKNERSTRAAT 16	HOLSBEEKSESTEENWEG 10
3816 LX AMERSFOORT	3200-LEUVEN (Kessel-Lo)

Overzicht van de amateur-weerstations in Nederland en België. De Belgische groep is Nederlandstalig; de stations bevinden zich derhalve alleen in Vlaanderen.

Boven: *een gedeelte van het meteorologisch station van Volkssterrenwacht 'Mira' in Grimbergen bij Brussel. Mede door de uitstekende begeleiding is een bezoek aan dit station aan te bevelen.*

Zelf wolkenfoto's opvangen

Links: *wolkenfoto, opgevangen door de Belgische amateur J. Burtin.* Links onder: *het zelfbouw-ontvangststation voor weerfoto's op de Volkssterrenwacht in Grimbergen. De antenne voor deze ontvangst ziet u op de foto hieronder.*

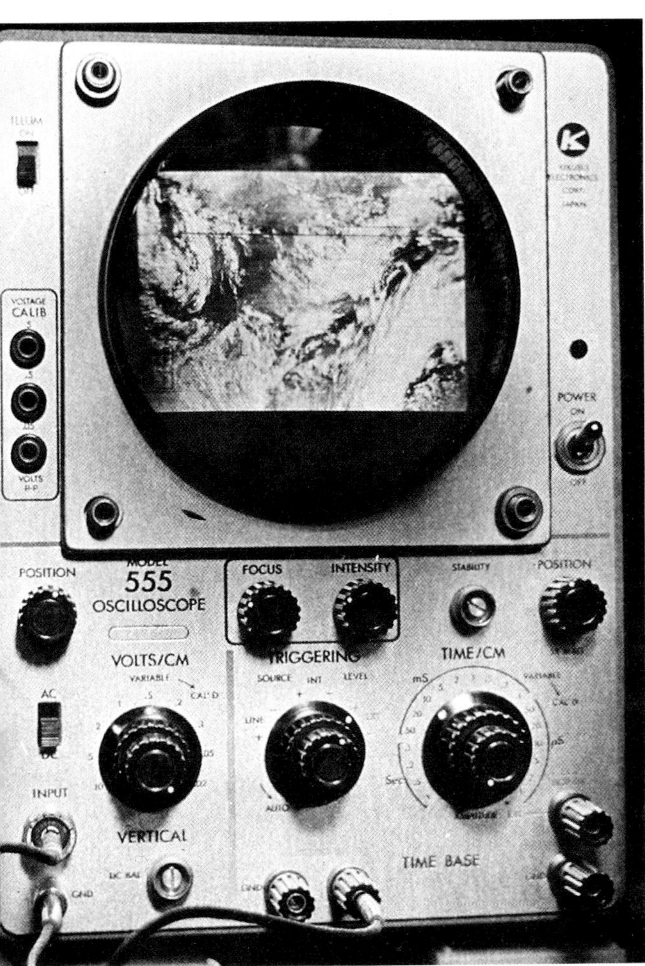

Er zijn steeds meer weeramateurs die zelf een ontvangststation voor satellietfoto's bouwen. Een handleiding voor de constructie van zo'n station werd geschreven door de Nederlanders drs. W. Janssen en drs. F. Schimmel (*Weersatellieten,* Kluwer, Deventer 1973). Veel amateurs zijn meer geïnteresseerd in de bouw van het station dan in de ontvangst van de foto's. Erg goede resultaten werden bereikt door enkele Belgen, met name door Werner de Bondt uit Temse. De heer De Bondt ontvangt vrijwel alleen infraroodfoto's. Het weer speelt in zijn hobby ook op een negatieve manier mee: in november 1977 werd zijn ontvangstantenne door storm van het dak geblazen. Er werd meteen begonnen met de bouw van een nieuwe antenne die ook geschikt zal zijn voor de ontvangst van meteosatfoto's.
De kosten voor de bouw van een eigen ontvangststation variëren al naar gelang men zelf meer onderdelen kan maken. Een heel handige knutselaar moet rekenen op enkele duizenden guldens (of ca. 50 000 BF).

Links boven: *infraroodfoto van Europa, gemaakt door de Amerikaanse weersatelliet* NOAA-3 *op 19 november 1973 en via de antenne, hierboven afgebeeld, opgevangen door Werner de Bondt.*
Links onder: *op deze zgn. 'scoop' is een foto te zien, gemaakt door de weersatelliet Tiros.*

Weer op postzegels

De heer H. Schiks uit Utrecht werkt op het KNMI in De Bilt. Overdag heeft hij dus direct met het weer te maken. Als hij 's avonds thuiskomt verdiept hij zich in zijn hobby: het verzamelen van postzegels. Hij verzamelt echter alleen maar postzegels die iets met het weer of de meteorologie te maken hebben.
Zijn collectie telt nu al 1000 zegels. De heer Schiks is niet de enige die alleen deze postzegels verzamelt. Hij heeft uitgebreid contact met collega Weber van het vliegveld Eelde.

Links: *de heer H. Schiks met zijn verzameling meteorologische postzegels.*

Is volksgeloof waar?

Van 1963 tot 1968 werd er een opmerkelijk weerkundig onderzoekproject uitgevoerd onder leiding van majoor J. H. Boer, chef van de meteorologische dienst van de vliegbasis Woensdrecht. Boer wilde in feite nagaan of allerlei weerspreuken die in het Deltagebied bekend waren serieus genomen moesten worden of niet. Zijn bijzondere belangstelling ging uit naar buien en onweer, naar de banen van de buien en de frequentie.
Boer begon met een netwerk van 700 regenwaarnemers op te zetten. Hij wierf deze mensen door een stand in te richten op een trekkende tentoonstelling, door artikelen in de plaatselijke pers en door letterlijk de boer op te gaan. Al spoedig was Boer zo ver dat na iedere regenbui in het Deltagebied zevenhonderd boeren, tuinders, pastoors en seminaristen trouw naar buiten gingen om de hoeveelheid neerslag af te lezen. Aan het einde van iedere maand ontving majoor Boer 700 briefkaarten met resultaten. De 700 vrijwilligers deden hun werk gratis.
Na vier jaar onderzoek kwam Boer tot de conclusie dat de Zeeuwen met hun volksgeloof gelijk hebben. Hij had overigens bij het begin van het onderzoek, in 1963, via een enquête het volksgeloof geïnventariseerd.

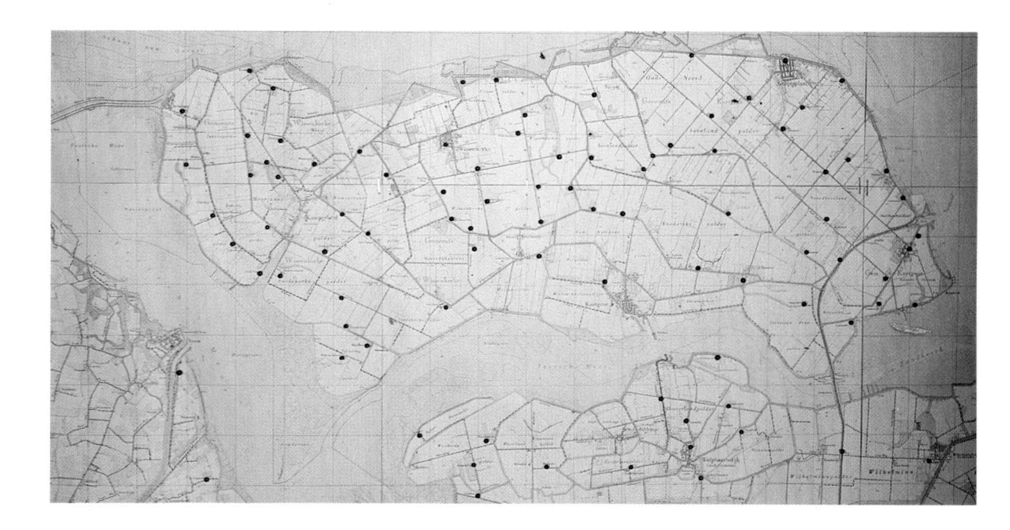

Bovenstaande kaart toont het netwerk van waarnemers dat majoor Boer in het Deltagebied opzette. Tijdens de onderzoekperiode waren rond de 800 vrijwilligers bij het project betrokken.

Het onderzoek werd in 1968 beëindigd omdat de vliegbasis Woensdrecht toen werd gesloten. Van 1963 tot 1968 werkten behalve 700 regenwaarnemers ook honderd onweerwaarnemers voor Boer en werden 15 automatische bliksemtellers geïnstalleerd. De meetperiode leverde 2000 onweders op. Enkele resultaten van Boer zijn:

- Winteronweer komt voornamelijk in de nachturen voor.
- De maximale onweeractiviteit in het Deltagebied valt in de tweede helft van juni.
- Bij zuidwestelijke winden volgen buien zeer bepaalde banen, die door volkswijsheid al bekend waren.

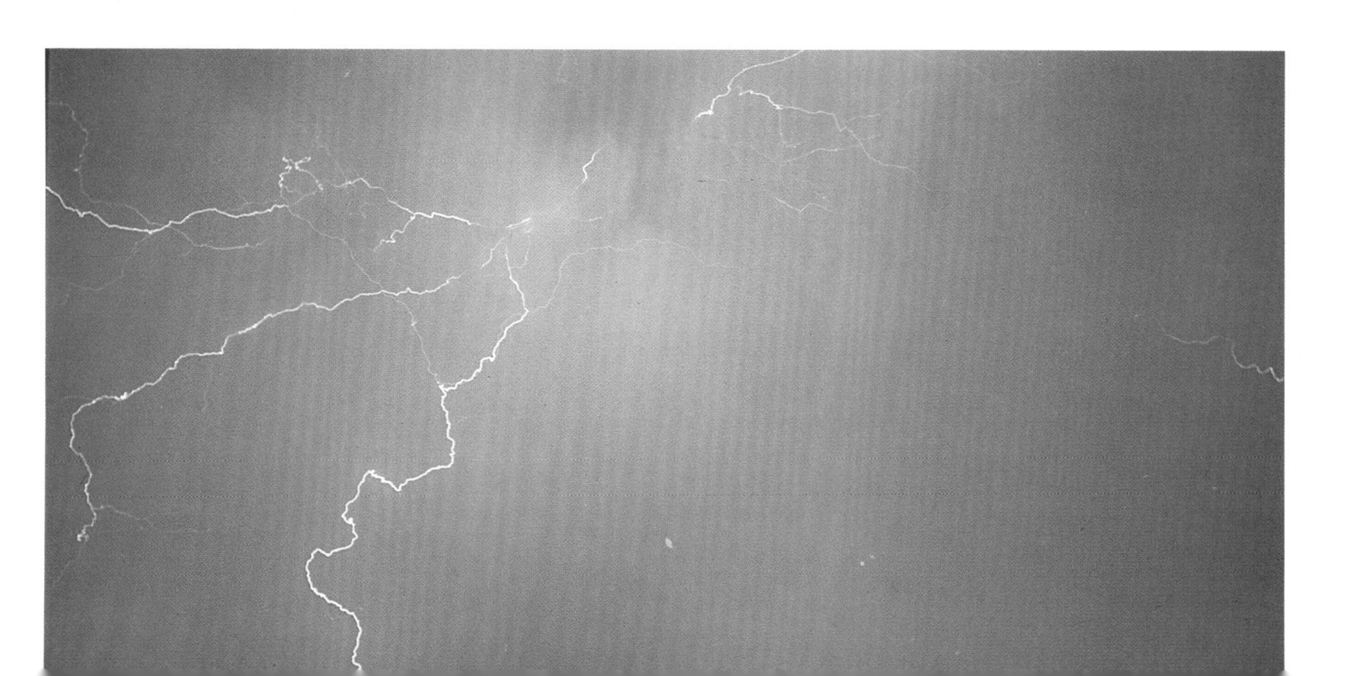

Weerprofeten

Bij het weer is men nooit veilig voor verrassingen. Toen vakantiegangers in de zomer van 1974 door aanhoudende regen teleurgesteld naar huis reden, kondigden weerprofeten het begin van een nieuwe ijstijd aan. Deze voorspellingen werden een jaar later reeds achterhaald door de 'zomer van de eeuw' en de zomer van 1976 werd zelfs uitgeroepen tot heetste sinds 120 jaar.

DE ONFEILBARE
WEERVOORSPELLER.
TEVENS AANWIJZENDE, HOE MEN MET
WEINIG MOEITE ZELF KAN VERVAARDIGEN
EEN BLOEMEN- EN PLANTENBAROMETER,
EEN CHEMISCH WEERGLAS
EN
EEN PLANTEN-HYGROMETER.
(VOCHTIGHEIDSMETER.)

AMSTERDAM,
G. THEOD. BOM.
1880.

Weerprofeten zijn er altijd geweest en ze zullen er ook altijd blijven. Een enkele keer wordt een profeet bekend; hij voorspelt meerdere keren achter elkaar juist. Kapper Flink is daar een voorbeeld van. Meestal zakken de weerprofeten weer snel terug in de vergetelheid. Bekend zijn ook de weerhuisjes, waarbij het ene poppetje goed weer en het andere slecht weer voorspelt. Het meest betrouwbare op deze weerhuisjes is de thermometer in het midden.

Ook de astrologische bladen houden zich wel bezig met een weersverwachting, waarschijnlijk tot groot verdriet van de serieuze astrologen. Het blad *Toekomst* bijvoorbeeld voorspelde voor augustus 1971 20 dagen regen. We keken het even na: het regende in De Bilt op 18 dagen, in Amsterdam op 17 dagen en op 26 dagen viel er ergens in ons land wel regen, maar de hoeveelheden over de gehele maand lagen onder normaal.
De weersvoorspelling was ook eeuwen geleden al zeer populair. Bij Jan Pelleboer vond de auteur het hier afgebeelde boekje *de Onfeilbare Weervoorspeller*. Maar het meest bekend is toch wel de *Enkhuizer Almanak*. Deze almanak is de oudste regelmatig verschijnende almanak in de wereld. In het jaar 1595 werd de oudst bekende almanak gedrukt voor het jaar

Links: *Enkhuizer Almanak-samensteller J. van der Schaar voor zijn collectie almanakken.*

1596. Het boekje, dat steeds zijn formaat heeft behouden, was belangrijk voor de scheepvaart omdat er een tabel met watergetijden in stond. Het werd door Heemskerck en Barentsz meegenomen naar Nova Zembla, waar het later werd gevonden. Die eerste *Enkhuizer Almanak* wordt nu in het Rijksmuseum bewaard. Waarschijnlijk is de almanak ieder jaar uitgekomen en daarom is die van 1979 al de 384ste jaargang.

De almanak wordt nu helemaal samengesteld door de 83-jarige heer J. van der Schaar. Hij nam in 1924 de uitgave van de almanak over en sedert 1968 stelt hij hem ook helemaal samen. De heer Van der Schaar heeft een grote collectie almanakken; zijn oudste exemplaar dateert van 1686. Tijdens een geanimeerd gesprek in maart 1978 legde hij me uit hoe de weersverwachting voor de *Enkhuizer Almanak* wordt gemaakt. Ze is gebaseerd op een groot aantal periodes, die zijn medewerker, de heer Christiaan Nell, ontdekt heeft. Een van die periodes is bijvoorbeeld de 11-jarige cyclus in de zonneactiviteit. Nell heeft 50 periodes ontdekt, maar Van der Schaar meent dat er nog veel meer zijn. Als er dus meer waarnemingen komen, worden andere periodes zichtbaar en daarmee wordt de betrouwbaarheid groter. Van der Schaar meent dat weersvoorspellingen op lange termijn beter worden als er meer periodes bekend zijn. Hij schat dat nu 70% van zijn voorspellingen uitkomt. Dat is overigens niet het geval op de dag dat ik dit schrijf, Pasen 1978. Het is koud, regenachtig en guur buiten. De *Almanak* voorspelt 'zacht goed lenteweer'. We moeten overigens opmerken dat de methode die de *Almanak* hanteert dezelfde is die dr. Visser (bladzijde 138) enkele tientallen jaren geleden op het KNMI ontwikkelde. De *Enkhuizer Almanak* is waanzinnig populair. Er worden jaarlijks 200 000 exemplaren verkocht.

Het meest betrouwbare element van een weerhuisje is de thermometer!

Volkswijsheid 1

DE REGENBOOG

Gezien het feit dat de mens met grote regelmaat en grote vasthoudendheid over het weer blijft spreken, mag de weerspreuk in dit boek niet ontbreken.
Er bestaan vele honderden weerspreuken in Nederland en België, weerspreuken waarin vaak een groot vertrouwen wordt gesteld. Er verschenen verscheidene boeken (J. Buisman, *Weer of geen weer;* J. Pelleboer, *Volksweerkunde, klopt het of niet;* J. Kruizinga, *Het weer in de volksmond*) over dit onderwerp. We zullen een kleine greep uit de veelheid aan volkswijsheid tot besluit van dit boek geven.

DE REGENBOOG
Een regenboog in de vroege morgen
Baart de wakkere boer veel zorgen.
Een regenboog 's namiddags laat,
Hoe blijde hij ter ruste gaat.

Als er 's morgens al een regenboog te zien is, is het al buiig, het weer is dan waarschijnlijk onstabiel. Als de regenboog 's middags te zien is, zien we hem in het oosten, hij staat immers tegenover de zon en die gaat 's middags in het westen dalen. De regenboog in het oosten zou kunnen betekenen dat de buiigheid wegtrekt naar het oosten. Neen, een regenboog is wel mooi, maar geen goede weervoorspeller.

AVONDROOD
Des avonds rood en 's morgens grijs,
Dan gaat men steeds gerust op reis.
Doch 's avonds grijs en 's morgens rood,
Dan stelt men zich aan regen bloot.

Een rode hemel in de avond wijst er vaak op dat er veel stof in de atmosfeer zit. Vooral als het onbewolkt is en de hemel een rode kleur bij zonsondergang krijgt,

KRING OM DE ZON

dan wijst dat op een stabiel weertype. In principe kunnen we dan ook voor de volgende dag goed weer verwachten. Het morgenrood wordt ook vaak veroorzaakt door veel waterdamp in de atmosfeer. Dit versje is zo gek nog niet.

Kring om de zon
Water in de ton

De ring om de zon is een haloverschijnsel dat in cirrusbewolking ontstaat. Vaak gaat deze bewolking vooraf aan fronten die regen brengen. De regel klopt dus, hij berust op een wetmatigheid.
Van heel veel weerregels is moeilijk na te gaan of ze kloppen of niet. Ze ontstonden in een tijd toen er nog geen meteorologische diensten waren, maar waarin de mens toch behoefte had aan een verwachting.

AVONDROOD

We noemen er enkele:

- Geeft januari een sneeuwtapijt, dan zijn we gauw de winter kwijt.
- Februari warm, voorjaar koud.
- Februari nat, vult schuur en korenvat.
- Maart koel en nat, veel koren in het vat.
- Maart guur, volle schuur.
- Aprilvlokjes brengen meiklokjes.
- Op Goede Vrijdag regen, brengt de boer geen zegen.
- De vrouwen en de aprillen, ze hebben bei hun grillen.
- Is mei nat, een droge juni volgt zijn pad.
- Een koude mei, een gouden mei.
- Regent het op Sint-Jan (24 juni), het regent veertien dagen lang.
- Regent het op Sint-Margriet (20 juli), zes weken regen dat het giet.
- De eerste oogstweek (aug.) die is heet, een lange winter staat gereed.
- Vallen de eikels voor Sint-Michiel (29 sept.), dan snijdt de winter door lijf en ziel.
- Op een warme september volgt graag een regenachtige oktober.
- Een koude oktober, een zachte januari.
- Regen met Sint-Denijs (9 okt.) voorspelt natte winter en weinig ijs.
- Geeft Allerheiligen (1 nov.) zonneschijn, dan zal het spoedig winter zijn.
- Witte Kerst, groene Paas.
- Zijn er eind december al veel mollen, dan laat de winter met zich sollen.

Volkswijsheid 2

Bij de tekst over nachtvorst werd al opgemerkt dat uit het gemiddelde temperatuurverloop in mei blijkt dat er van 10–20 mei altijd wel een paar extra koude nachten (en dagen) voorkomen. Ze vallen alleen niet altijd op de data die zijn gereserveerd voor de 'IJsheiligen'. De spreuk 'Pancraas, Servaas en Bonifaas (12, 13 en 14 mei) ze geven vorst en ijs helaas' is dus wel een beetje waar, maar niet zo letterlijk. Er blijken in het gemiddelde temperatuurverloop van een jaar meer extremen te zitten die in weerspreuken terugkomen:

- Als de dagen lengen, gaan de nachten strengen.
- Sebastiaan (20 jan.) die het weer maakt, doet het vriezen dat het kraakt.
- St.-Petrus' stoeltje koud, wordt 14 dagen oud (18 jan.).

Er zijn andere regels die op wetmatigheden berusten, zoals:

- Na regen komt zonneschijn.
- Is de hemel al te blauw, spoedig wordt hij dan weer grauw.
- Als de zon steekt komt er regen.

Ook dieren worden vaak gebruikt als weervoorspellers:

De hanen, katten en honden,
Zo heeft men dikwijls gevonden,
Zeggen 't weer van dag tot dag
Nog beter dan de Almanach.

Het blijkt overigens dat dieren vaak wel op het weer reageren, maar het niet voorspellen. Een uitzondering vormen volgens sommige oude boekjes de spin, de bloedzuiger en de kikvors. Men zou deze dieren als weervoorspeller kunnen kweken.
We zullen tot besluit nog enkele weerspreuken geven waarin dieren een rol spelen:

- Plonst en duikelt eend en gans, dan is er voor regen kans.
- Meeuwen aan land, storm voor de hand.
- Als de kikvors kwaakt, vast regen maakt.
- Bok stinkt – regen.
- Maakt de spin in 't net een scheur, dan klopt de stormwind aan de deur.

Dank

Dit boek kon tot stand komen omdat velen mij hulp boden. De omvangrijke lijst 'fotoverantwoording' spreekt in dit opzicht boekdelen. Buiten de velen die daarop worden genoemd wil ik mijn speciale dank uitspreken voor de steun en hulp die de adviesraad (de heren Pelleboer, Pien en Den Tonkelaar) me hebben geboden. Verder gaat mijn dank naar het KNMI en het KMI voor het beschikbaar stellen van publikaties en gegevens en voor de toestemming om uitgebreid te fotograferen. Ik ben Bill West en Diane Johnson (beiden uit de Verenigde Staten) erkentelijk voor hun hulp bij het zoeken naar de beste illustraties. Het CBS, de NOS-afdeling Kijk- en Luisteronderzoek en de afdeling Krijgsgeschiedenis van de Koninklijke Landmacht verzamelden speciaal voor dit boek gegevens. De Luchtmachtvoorlichtingsdienst en de minister van Defensie maakten het mogelijk dat ik enkele opnamen vanuit een helikopter kon maken. De heer Borgmeier van Kodak zorgde dat steeds al mijn opnamen zeer snel werden ontwikkeld. De directie van Teleac vond goed dat ik materiaal uit de cursus *Wij en het weer* gebruikte. De heer P. van Vliet legde enkele belangrijke contacten en vele foto-amateurs reageerden op mijn oproep in *Focus*.
De samenwerking met de uitgever, Henk Schuurmans, en de vormgever Jac. van den Bos was uitermate prettig en constructief.
Ik hoop slechts dat het resultaat, mede tot stand gekomen met uw hulp, u niet teleurstelt.

HOUTEN, NOVEMBER 1978 — CHRIET TITULAER

Verklarende woordenlijst

(ook van woorden die niet in dit boek zijn gebruikt)

Atmosfeer. Het luchtomhulsel van de aarde waar zich in de onderste laag tot 15 km hoogte het weer afspeelt. De lucht bestaat, afgezien van waterdamp, uit stikstof (78%), zuurstof (21%) en voor 1% andere gassen, waaronder kooldioxide en ozon.

Bliksem. Elektrische ontlading gedurende ongeveer één duizendste seconde tussen wolken en aarde of tussen wolken onderling, als gevolg van enorme spanningsverschillen (tot 1 miljoen volt per meter). Meestal is de onderkant van de wolk negatief geladen. In de bliksembaan kan de temperatuur oplopen tot 25000 graden Celsius.

Circulatietype. Luchtstroming op grote schaal beschouwd. Soms gekoppeld aan het jaargetijde. M.a.w. afhankelijk van de instraling van de zon. Voorbeeld: gebied van hoge luchtdruk boven Midden-Europa in september. Wordt o.a. bij lange-termijnverwachtingen gebruikt.

Depressie. Een gebied van lage luchtdruk.

Föhn. Aan de zuidkant van de Alpen wordt de lucht bij een zuidenwind gedwongen op te stijgen. Bij het opstijgen koelt de lucht af en verliest water of sneeuw. De lucht wordt verwarmd tijdens het afdalen aan de noordkant van de Alpen. De föhnwind aan de noordzijde van de Alpen doet de temperatuur in enkele uren 10–15 °C toenemen. Zeer heldere lucht.

Hagel. Een vorm van neerslag bestaande uit ijsdeeltjes met een middellijn van enkele millimeters tot enkele centimeters. Hagelstenen zo groot als kippeëieren zijn mogelijk. De ijsdeeltjes worden groter ten gevolge van aangroeiing van laagjes ijs tijdens hun weg door een grote stapelwolk (cumulo-nimbus). De grote hagelstenen ontstaan als het val- en optilproces in de stapelwolk enkele keren wordt herhaald. Hagel valt gewoonlijk tijdens zware onweersbuien.

Halo. Een optisch verschijnsel in de atmosfeer, o.a. kringen om de zon en maan met een straal van 22° en 46°. Ontstaan door breking en buiging van zon- of maanlicht in ijskristallen. Deze ijskristallen bevinden zich vooral in cirruswolken.

Hondsdagen. 19 juli – 18 augustus. In de volksmond zeer hete zomerse dagen. De vorming van een standvastig gebied van hoge luchtdruk in de tweede helft van juli brengt vaak een tijdvak van mooi weer met hoge temperaturen. De naam is ontleend aan het feit dat de ster Sirius (de Hondsster) in het sterrenbeeld de Grote Hond 's morgens aan de hemel zichtbaar wordt.

Inversie. Temperatuurtoeneming met de hoogte, soms als gevolg van sterke afkoeling van de onderste luchtlagen in een hogedrukgebied, veroorzaakt door uitstraling in de nacht en vroege ochtend (grondinversie). Verticale luchtstromingen worden onderdrukt. Uitgeworpen verontreinigingen, zoals uitlaatgassen, hopen zich in de inversielaag op. Komt veel in de herfst en in de winter voor.

Korrelhagel. Een neerslagvorm die ontstaat doordat een vallend korrelsneeuwbolletje kleine onderkoelde druppeltjes opvangt. Rondom de dofwitte kern verschijnt een doorschijnend ijslaagje.

Korrelsneeuw. Matwitte bolletjes die ontstaan ten gevolge van botsingen van sneeuwkristallen bij de chaotische bewegingen in buienwolken met grote verticale afmetingen. In deze wolken zijn sterke opwaarts gerichte stromingen aanwezig. In deze wolken ontstaat ook hagel.

Krans. Een optisch verschijnsel in de atmosfeer, bestaande uit één, twee of drie gekleurde ringen met een betrekkelijk kleine doorsnede, vlak om zon of maan, veroorzaakt door buiging van het zon- of maanlicht om waterdruppeltjes in een wolk. Zeer heldere kransen ontstaan bij een hoge gelaagde bewolking. Veelal de voorbode van slecht weer.

Luchtdruk. Geeft de druk van de atmosfeer in iedere plaats op het aardoppervlak. Wordt gemeten in millibar of millimeters kwikdruk (de gemiddelde luchtdruk op zeeniveau is 1013,2 mbar of 760 mm kwikdruk). De luchtdruk neemt met toenemende hoogte af. De luchtdrukverdeling over een bepaald gebied is een wezenlijk aanknopingspunt voor de beoordeling van de weersontwikkeling.

Mist. Waterdruppeltjes in de lucht in dermate grote aantallen, dat deze min of meer ondoorzichtig wordt. Ontstaat vaak bij menging van vochtige warme lucht met koude lucht. Men onderscheidt vele soorten mist, afhankelijk van de wijze van ontstaan.

Onweer. Beroering van de dampkring die met donder en bliksem gepaard gaat; ontstaat ten gevolge van snel opstijgende warme lucht (soms tot 10 km hoogte). Vorming van de kenmerkende onweerswolken (cumulo-nimbus), waaruit zware neerslag (regen, korrelhagel, hagel) valt. De wolken kunnen een elektrische lading krijgen. Als het spanningsverschil te groot wordt, treedt ontlading (bliksem) op, waarbij de lucht plotseling geweldig uitzet. Het daarbij geproduceerde geluid is de donder.

Regen. Neerslag van waterdruppeltjes met afmetingen tot 6 mm. Regendruppels ontstaan soms ten gevolge van botsingen tussen waterdruppeltjes onderling, maar meestal als gevolg van smeltende sneeuwvlokken. De sneeuwvlokken ontstaan weer door snel aangroeiende ijskristalletjes ten koste van de omringende waterdruppeltjes. Zijn de neerslagdeeltjes zwaar genoeg, dan vallen ze uit de wolken en bereiken het aardoppervlak in de vorm van sneeuw, korrelsneeuw of waterdruppeltjes.

Regenboog. Een optisch verschijnsel in de atmosfeer. Ontstaat als het zonlicht tweemaal wordt gebroken in de druppeltjes van een regenbui. De kleuren lopen van rood tot violet. Hoe sterker de regenboog, des te groter en homogener de druppels.

Rijp. Een ijsafzetting op voorwerpen. Ontstaat als de temperatuur van de lucht beneden het vriespunt daalt en de waterdamp rechtstreeks sublimeert op voorwerpen of de grond, zodat een witte gladde ijslaag wordt gevormd.

Sneeuw. Neerslag van ijskristallen bij temperaturen beneden 0 °C, in de vorm van zeskantige ijssterren. Fraaie sneeuwkristallen ontstaan op grote hoogte bij een temperatuur van –12 tot –16 °C. Samenvoeging tot sneeuwvlokken. Vooral bij temperaturen rond het vriespunt zijn

het goedontwikkelde vlokken en treedt dichte sneeuwval op.
Vochtigheid van de lucht. De hoeveelheid waterdamp in de lucht. De lucht kan bij een bepaalde temperatuur slechts een bepaalde hoeveelheid waterdamp opnemen (verzadiging). De extra hoeveelheid slaat als waterdamp neer (condenseert). De temperatuur waarbij de verzadiging wordt bereikt heet het dauwpunt.
Wind. Vereffent luchtdrukverschillen tussen twee plaatsen. Stroomt niet rechtstreeks van een plaats met hogere luchtdruk naar de plaats waar de luchtdruk lager is. De windkracht kan oplopen tot storm en orkaan (zie Beaufortschaal). De wind, de luchtdruk en de temperatuur oefenen invloed uit op het weersverloop.
Wolken worden gevormd als afkoelende, stijgende lucht het condensatieniveau bereikt. De gecondenseerde waterdamp kan er als regen of sneeuw uit vallen, maar ook op weg naar de aarde weer verdampen. Dat laatste gebeurt evenwel maar zelden. Soorten: stapelwolken en gelaagde bewolking.
IJs. Bevroren water bij afkoeling onder 0 °C (vriespunt). Verschillende soorten hagel, sneeuw, eeuwige sneeuw, overjarig ijs, gletsjerijs, ijzel en rijp.

Fotoverantwoording

Omslag: foto ijspegels: P. van Vliet, rest C. Titulaer. *Schutbladen:* Teleac (techn. verz. Henk Koster van Fysiofilm). *Blz. 4:* repr. uit Van Dale, uitg. Martinus Nijhoff. *Blz. 8–9:* kleurenfoto's C. Titulaer, zw/wit ITU. *Blz. 10–11:* Jan Sterk en S. Andringa. *Blz. 12–13:* lepel en tabaksdoos: Fries Museum, schip: British Petroleum, Opheusden: Anefo, Waddenzee: J. Pelleboer. *Blz. 14–15:* koeien: J. Pelleboer, 1 x C. Titulaer, 1 x Anefo, 1 x ANP, 1 x ANL, 1 x UPI. *Blz. 16–17:* Prinsenbeek: Techn. recherche Rijkspolitie, Den Bosch, sneeuw: J. den Tonkelaar, België: Rijkswacht, rest: Alg. Verkeersdienst, Dienst Luchtvaart Rijkspolitie. *Blz. 18–19:* 4 x KLM, 1 x Fokker/VFW. *Blz. 20–21:* tekening: Utrechtse Univers. Bibl., tanker: British Petroleum, Wan Chun: Ad van Aanholt, booreiland: Shell-foto. *Blz. 22–23:* prent: Utrechts Univers. Museum, stormweer: S. Andringa, rest: Min. van Defensie. *Blz. 24–25:* 4 x OSRD: Kon. Marine, 2 x Camera Press. *Blz. 26–27:* loods: Kiewit Expertise, bos: Staatsbosbeheer, militairen: Min. van Defensie, Ameland: Dienst Luchtvaart Rijkspolitie, Dom: Gem. Archiefdienst Utrecht, Dom: C. Titulaer. *Blz. 28–29:* auto: Kema, slachtoffer: Techn. recherche Rijkspolitie, Lopik: P.P. Hattinga Verschure, prent: Utrechtse Univers. Bibl., boom: M. Becker. *Blz. 30–31:* bui: NOAA, overstroming: 2 x Belga, 2 x Anefo. *Blz. 32–33:* cartoon: Ned. Ski Ver., Goms: Nat. Zwitsers Verkeers Bur., lawines: 4 x Maritius, 1 x dr. W. Loewe. *Blz. 34–35:* instrument: Olland B.V., bouw: C. Titulaer, kratten: Heineken N.V., lopende band: Vrumona B.V., oude foto's: Bernard F. Eilers. *Blz. 36–37:* Zundert: VVV, Breda, 1 x C. Titulaer, 4 x Kees Jansen. *Blz. 38–39:* wegmarkering: Wegenbouwmij. J. Heymans, rest: St. Verletbestr. Bouwnijverheid, Han Hendrikse, ANP. *Blz. 40–41:* bloemkas: Polivisie, rest: C. Titulaer. *Blz. 42–43:* 3 x ANP, 2 x Anefo, cartoon: Wim Boost in *Boer en Tuinder. Blz. 44–45:* 2 x C. Titulaer, 1 x Ned. Fruittelers Organisatie. *Blz. 46–47:* spaarbekken: Drinkwaterleiding Rotterdam, rest: Fotodienst Gem. Werken Rotterdam. *Blz. 48–49:* zonnehuis: T.H., Eindhoven, windmolen: Boeing, Alaska: British Petroleum. *Blz. 50–51:* Martinair. *Blz. 52–53:* doorwerkpak: St. Verletbestr. Bouwnijverheid, veiling: Bur. Voorlichting Bloemen en Planten, poolkleding: British Petroleum, visvervoer: Produktschap Vis, vervoer: Kees Jansen, pool: Camera Press. *Blz. 54–55:* dak: Kiewit Expertise, werken en plastic: ANP, auto: Spaarnestad, rest: Elsevier. *Blz. 56–57:* windwijzers: 9 x Sven Nyegaard, 6 x C. Titulaer. *Blz. 58–59:* kajak: Dupont, Verkerk: ANP, ijszeilen: NFP, doelman: Guus de Jong, wielrennen: UPI. *Blz. 60–61:* Spin: Maritiem Museum Prins Hendrik, Vermeer: Mauritshuis, Den Haag. *Blz. 62–63:* The Bettmann Archive, 2 x National Library of Medicine, USA. *Blz. 64–65;* molens 1, 2, 3, 4, 6, 7, 8, 11: Kees Scherer, molens 9, 10: Jac. v.d. Bos, molen: 5: Polivisie. *Blz. 66–67:* autoraces: Rob Wiedehoff, sjees: S. Andringa, Koninginnedag: Anefo, rest: C. Titulaer. *Blz. 68:* Ektachrome Dia's: Eastman Kodak. *Blz. 71:* cartoon: Wim Boost, (*Volkskrant* 27–8–'77), foto: J. Pelleboer. *Blz. 72–73:* strand: Intercolor, wadlopen: Henk de Vries, solarium: Siemens, Breukelen: C. Titulaer. *Blz. 74–75:* 3 x C. Titulaer, 2 x Gerth van Roden, deltavliegen: Anefo en London Express. *Blz. 76–77:* 2 x Paul Vogt, 2 x C. Titulaer, 1 x zw/wit: Theo Kampa. *Blz. 78:* 6 x C. Titulaer, 3 x Anefo, rest: UPI en Keystone. *Blz. 79:* 2 x Museum of the City of New York en ANP. *Blz. 80–81:* Empel: Paul Bessem, tank: Min. van Defensie. *Blz. 82–83:* 6 x Krijgsgesch. Ned. Landmacht, 1 x RIOD, 1 x USIS. *Blz. 84–85:* NASA. *Blz. 86–87:* strand: Ynsen, Stiens, camping: Anefo, storm: NOAA, IJmuiden: ANP. *Blz. 88–89:* 1 x Jan Lahmeyer, 1 x P.P. Hattinga Verschure, 1 x J. Aalders, 7 x J. den Tonkelaar. *Blz. 90–91:* satellietfoto: NOAA, mist: P.P. Hattinga Verschure. *Blz. 92–93:* sterrenwacht: Gary Ladd, takken: C. Titulaer, kristallen: Zeiss, Ameland: mej. J. Ynsen, Siberië: Elsevier. *Blz. 94–95:* bui: Gary Ladd, cartoon: Wibo (*Volkskrant* 9–8–'77), kind: Polyvisie, overstroming: NOAA. *Blz. 96–97:* gr. regenboog: Gary Ladd, kleine: L. Moerland, bijzon: NCAR, prent: Utrechtse Univers. Bibl. *Blz. 98–99:* 3 x hagelst.: NCAR, peren: Ned. Fruittelers Org., prent: Utrechtse Univers. Bibl. *Blz. 100–101:* Hugo Binz, Zwitserl. *Blz. 102–103:* tornado: NOAA, Oostmalle: UPI, schuur: J. Pelleboer, Tricht: ANP. *Blz. 104–105:* 3 x NOAA, 1 x ANP, 1 x ZEFA. *Blz. 106–107:* vliegtuig: NCAR, Europoort: J. den Tonkelaar, lamp: C. Titulaer. *Blz. 108–109:* Boulder: NCAR, rest: C. Titulaer. *Blz. 110–111:* kaartje en Arizona: NOAA, zuidpool: Lab. Ruimteonderzoek, Utrecht. *Blz. 112–113:* Dienst Verspreide Rijkscoll., Den Haag. *Blz. 114–115:* Kon. Luchtmacht, 2 x NOAA en 1 x C. Titulaer. *Blz. 116–117:* KMI en 3 x C. Titulaer. *Blz. 118–119:* alle opnamen C. Titulaer. *Blz. 120–121:* NOAA. *Blz. 122–123:* radar: NOAA, NCAR en C. Titulaer. *Blz. 124–125:* Cumulus: C. Titulaer, Goeree: Marine Voorlichtingsd., vliegtuig: NCAR, Zuidpool: J. van der Laan. *Blz. 126–127:* foto's 1, 2 en 3: Estec, foto 4: Cems, Lannion. *Blz. 128–129:* Meteosat: Estec en 2 x C. Titulaer. *Blz. 130–131:* 3 x C. Titulaer. *Blz. 132–133:* C. Titulaer en KMI. *Blz. 134–135:* tekening: Teleac, schip: NOAA, boei: ITT. *Blz. 136–137:* computers: C. Titulaer, landschap: J. Nijhof, model: NCAR. *Blz. 138–139:* NOAA, NCAR. *Blz. 140–141:* alle opnamen C. Titulaer. *Blz. 142–143:* Grimbergen: C. Titulaer, 1 x J. Burtin, rest: W. de Bondt. *Blz. 144:* C. Titulaer. *Blz. 145:* bliksem: P.P. Hattinga Verschure, waarneming: Boer. *Blz. 146–147:* C. Titulaer, weerhuisjes: G. Beekman en M. Nissen. *Blz. 148–149:* regenboog: J. Grootewaal, kring: P.P. Hattinga Verschure, zonsondergang: C. Titulaer. *Blz. 150:* Albert Brosens.

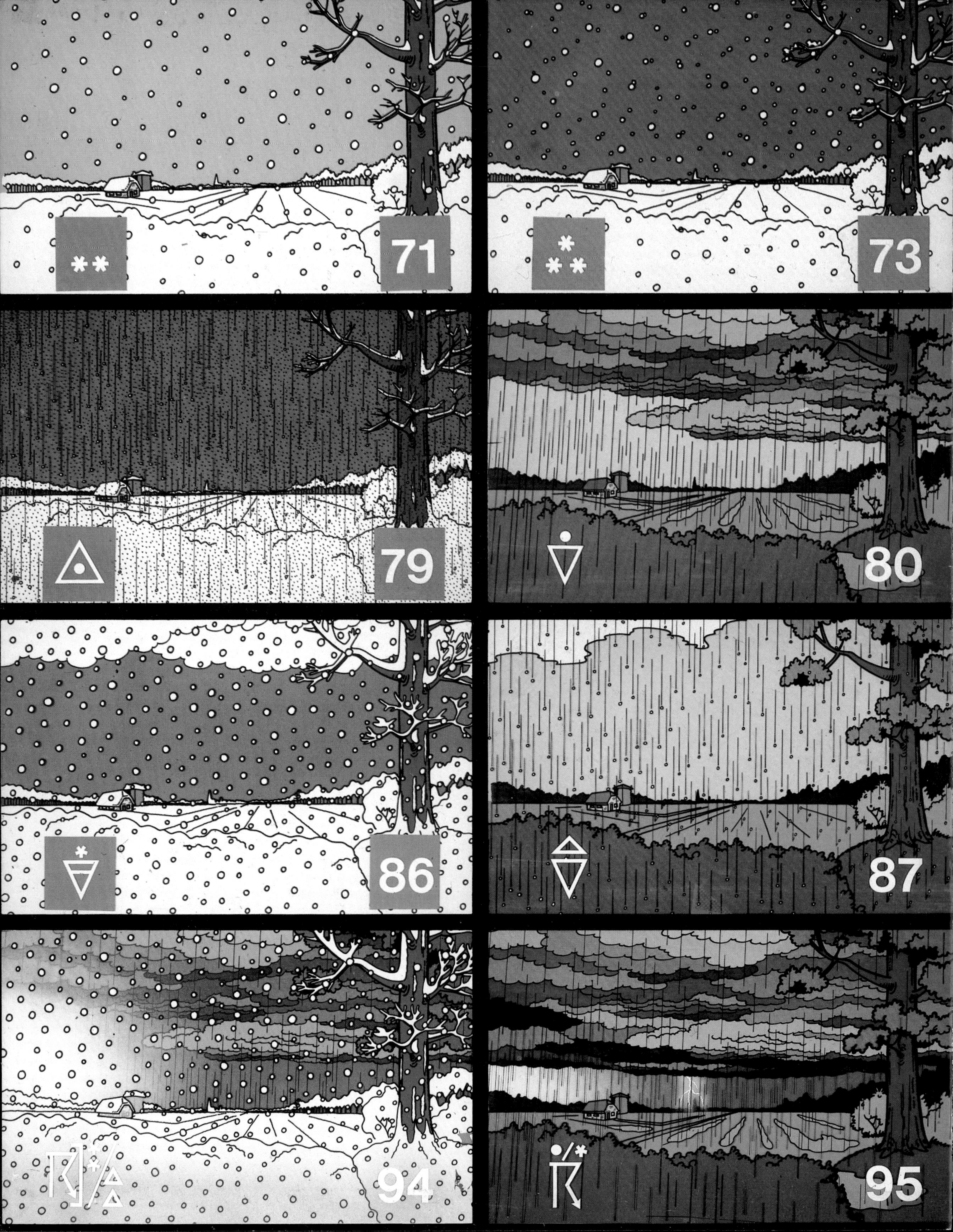
71
73
79
80
86
87
94
95